LE DUE LUNE

L'autrice

Barbara Griffiths ha studiato Belle Arti e, sin da giovanissima, ha mostrato un grande talento: le illustrazioni da lei realizzate per la tesi di laurea sono state esposte in una tra le più prestigiose gallerie d'arte londinesi.

La Griffiths ha immediatamente trovato nei romanzi per bambini e ragazzi una fonte inesauribile di spunti fantastici ed è diventata una affermatissima illustratrice, in particolare di storie di horror e mistero.

Ne "Lo spettro del cinematografo", il suo primo romanzo scritto oltre che illustrato, la Griffiths si rivela una vera maestra del genere macabro.

La collana Le Due Lune è diretta da Tullia Colombo
Traduzione: Antonella Borghi
Redazione: Alba Fortuna
Art Director: Sandro Mazzali

Proprietà letteraria e artistica riservata
First published in 1994 by Andersen Press Limited
Copyright © 1994 by Barbara Griffiths
© 1995 Franco Cosimo Panini Editore S.p.A. - Modena
Printed in Italy

Titolo originale dell'opera: A gruesome body

Finito di stampare presso La Carterie S.p.A.
Ozzano Emilia (Bologna)
Marzo 1995

Barbara Griffiths

LO SPETTRO
DEL CINEMATOGRAFO
E ALTRI RACCONTI

Illustrazioni di
Barbara Griffiths

FRANCO PANINI
RAGAZZI

LO SPETTRO
DEL CINEMATOGRAFO

Se hai intenzione di passare un pomeriggio al cinema, la prima cosa da fare è procurarti un biglietto giornaliero per l'autobus e il metrò. Sì, quello, e anche un giornale con la programmazione dei film. Io e Chris avevamo deciso di andare a vedere l'ultimo di Schwarzenegger "Nel cinema più vicino a casa tua ORA! (Vietato ai minori di 15 anni)"; ma, come tutti sappiamo bene, il cinema più vicino a casa non è sempre il più azzeccato.

– Quindici anni? Voi due? Ma non fatemi ridere, ragazzi. Tornate appena avrete smesso di ciucciare il succhiotto!

Decidemmo allora di finirla con i cinema della zona e di acchiappare il primo autobus per la multisala di Staples Corner. Arrivati lì, trovammo una fila che perimetrava tutto il parcheggio, e così prendemmo altri due autobus fino all'Odeon.

– Forse, potremmo ritentare la prossima settimana, – disse Chris. – Cioè, è chiaro che tutti vanno a vederlo il primo giorno. E noi non abbiamo nessuna speranza.

– Non serve a niente se non riusciamo a vederlo in questo week-end. Mi sembra già di sentirli, Rex e i suoi, lunedì: "Non avete ancora visto *Cyberkiller III*? No? Be', chiaro, non vi hanno fatto entrare, vero? Non sapete cosa vi siete persi. E' il *miglior* film *mai visto!*"

– Sì – gemette Chris. – E poi ci racconteranno la trama.

– Con tutti i dettagli più *cyberkillerosi* – aggiunsi io.

Altre volte avevamo avuto fortuna all'Odeon, ma oggi c'era una ragazza nuova alla biglietteria.

– Sì, che abbiamo quindici anni – implorammo insieme, quasi strisciando. – Sul serio. Oh, per favore, sia gentile.

– Be'... – fece lei. – Vado a sentire cosa dice il capo. Aspettate qui.

Rimanemmo lì in piedi, proprio di fianco al manifesto del film, pieni di ammirazione davanti agli zigomi del Cyberkiller, che facevano tutt'uno con quelle infernali mascelle di acciaio, e le lame acuminate al posto dei denti.

– Quanta ferraglia può mettersi dentro un umano senza diventare un cibernauta? – chiesi. – Voglio dire, come si fa a riconoscerli?

– Oh, è semplice – rispose Chris. – I cibernauti non hanno capacità di empatia. Insomma, niente sentimenti o roba del genere...

Ci pensai su. – Allora, come fai a distinguere Rex e la sua banda dai cibernauti? O chiunque altro della nostra classe?

L'avevo messo fuori gioco con quelle domande.

– Se non riusciamo a passare, – dissi – è colpa tua. Guarda che razza di taglio di capelli hai! Ti fa sembrare uno di dieci anni.

– Almeno io ho compiuto già i tredici – replicò Chris.

– E' più di quanto tu non...

Fu allora che sentii una mano afferrarmi per il colletto, e in un batter di ciglia ci ritrovammo sbattuti fuori. Attraverso la porta a vetri riuscimmo a vedere la schiena del direttore che si allontanava a grandi falcate, sfregandosi le mani.

– Non vale – mugugnai. – Mettersi ad origliare. Come potevamo sapere che era il capo, quello?

– Avanti con la ricerca – disse Chris, affondando il naso nel giornale. – Il Palace è la nostra ultima possibilità.

– Troppo malmesso – dissi io.

– Allora, gli farà comodo beccarsi i nostri soldi, non ti pare?

Avrei scommesso che doveva esserci un cinema da qualche parte in periferia, se solo fossimo riusciti a trovarlo, pieno di fanciulli beati, tutti intenti a ciucciarsi i loro succhiotti davanti a un film vietato ai diciotto. Il problema è che le uniche informazioni su posti del genere si hanno dalla bocca di chi ci va, e con tutti i bugiardi che ci sono in giro c'è poco da fidarsi.

Ci avviammo verso la stazione del metrò. Il sole picchiava sopra di noi, e io cominciavo ad essere di cattivo umore. Non riesco proprio a capire perché i genitori stiano tanto addosso ai figli, e li mandino sempre fuori a prendere un po' d'aria, mentre d'estate l'unica cosa che un figlio con un briciolo di buon senso può desiderare è di starsene alla larga dai raggi del sole. I sotterranei dei grandi magazzini, i portici, il bowling e il *pigrodromo* (un posto dove oziare in santa pace, insomma) costituiscono l'habitat estivo naturale di qualunque ragazzino.

– Non ti voltare, – bisbigliò Chris – ma temo che ci sia qualcuno che ci segue. Ho detto di *non* guardare!

Un uomo con un cappello nero e l'impermeabile stava osservando una vetrina.

– Cosa ti fa pensare che stia seguendo proprio noi? – domandai.

– Era già a Staples Corner.

– Ma va a cagare! Era sicuramente qualcun altro. Ha un aspetto parecchio normale, secondo me.

– Normale! Hai visto spesso qualcuno con cappello e soprabito in agosto? E pure con l'ombrello!

Devo riconoscere che non avevo proprio fatto caso all'ombrello.

– Sarà sicuramente un turista straniero – dissi. – Uno che vuole stare sul sicuro.

Scendemmo di corsa le scale della metropolitana e attraversammo il passaggio automatico timbrando i biglietti. Superammo gli altri passeggeri giù per la scala mobile ed arrivammo rumorosamente in fondo. Diedi un'occhiata all'insù e, in mezzo a tante teste scoperte, scorsi un cappello solitario. Corremmo lungo il sottopassaggio, su e giù, seguendo le indicazioni, fino ai binari.

"Totteridge" diceva il tabellone elettronico "un minuto." Allungai la testa da dietro l'angolo e, attraverso la folla ondeggiante, scorsi nuovamente l'uomo col cappello. Con l'ombrello chiuso appeso al polso per il manico ricurvo, egli si chinò a gettare qualche monetina nella custodia della chitarra di un ragazzo che suonava. Accennò anche qualche passo di danza.

– Pare un tipo a posto – dissi, e aggiunsi a voce più alta: – Ad ogni modo, non ce la farà mai a prendere il prossimo.

Sollevando una folata di aria calda, il treno stava uscendo dal tunnel. Salimmo e ci precipitammo per prendere un posto a sedere.

– Vuoi scommettere? – disse Chris, scrutando al di là del divisorio di vetro che separava un vagone dall'altro.

– Piantala con 'ste storie da nonnetto spaventato! – dissi io. – Preoccupati piuttosto se non riusciamo ad arrivare per lo spettacolo delle diciassette e cinque.

Ci slanciammo attraverso le strade come spiriti sorpresi dalle prime luci dell'alba. In cima ad una collinetta, ritto tra una friggitoria e una lavanderia a gettone, ci ritrovammo davanti il PA ACE. Il nome regale baluginava da un vecchio neon rosa, appeso sulla facciata sgretolata dell'edificio. Un cartello vicino alla porta recitava: "Acquisito dall'Ispettorato per il Risanamento". Non c'era nessuno in fila.

– E' chiuso – disse Chris. Sembrava lì lì per piangere.

– Non può essere. C'è il manifesto del film attaccato fuori. – Spinsi la pesante porta d'ingresso e quella si aprì cigolando. L'atrio sembrava deserto. Poi udimmo un "clic, clic" provenire dalla cassa. Chinata sul bancone, scoprii un'anziana signora intenta a lavorare a maglia.

– Scusi, ci dà due biglietti per *Cyberkiller III*? – chiesi.

– Quanti anni avete, cari?

– Io ne ho... sì, ne ho quattordici.

Scosse il capo con aria di rimprovero. Mettetele un fazzoletto in testa, pensai, e sarebbe esattamente quella contadina che nei film di Dracula dice sempre: "Ehi, padrone, cerca di non perderti da queste parti quando fa buio."

– Bricconcelli – ci disse. – E' davvero roba sanguinolenta, 'sto film. Diamo *Gli Aristogatti* la prossima settimana. Walt Disney. Vi piacerà di più, vedrete.

– Ci dia una possibilità, la prego. Abbiamo fatto tutta la strada da Bushey per vederlo!

– Mah, non saprei... Su, entrate veloci, allora. Ma niente urli, badate bene, se no il capo mi farà a polpette.

Afferrammo i biglietti e ci dirigemmo verso la prima fila. C'era già la pubblicità. Io mi sedetti con le braccia in grembo per non sfiorare nemmeno i braccioli della poltrona (ho il sospetto che in postacci come il Palace non accendano mai le luci per risparmiare sulle pulizie, e c'è sempre quell'odore misto di vomito e di sigarette. Avevo già calpestato qualcosa di appiccicaticcio). Sentivo un rumore di pacchetti di patatine sotto il mio sedile, e cercai di autoconvincermi che non si trattava di topi, ma solo della corrente che veniva da sotto la porta. Mi girai e scorsi contro luce una sagoma allungata.

– E' qui – sussurrai a Chris.

Le luci si abbassarono e, nero su nero, scivolò in un

posto all'estremità della sala.

– Visto? Cosa ti avevo detto? – borbottò Chris. – Ci sta pedinando.

– Siamo belli cresciuti, ormai. Sappiamo badare a noi stessi, ti pare? Sssst, comincia.

I titoli di testa precipitarono dall'alto su grattacieli altissimi, poi la cinepresa scese al livello della strada. Io mi piegai in avanti mordicchiandomi le unghie; mi sentivo come quando l'annunciatrice della TV dice: "Alcune scene del film possono risultare non adatte agli spettatori più impressionabili" o, meglio ancora, "Interrompiamo le trasmissioni per un notiziario straordinario". Due tipi stavano passeggiando lungo un marciapiede. Due ignari a spasso, pensai allegramente, paiono felici. Non durerà a lungo. Un'ombra scivolò attraverso la via e procedette a zig zag sul bordo del marciapiede. Avevo il cuore che batteva come un assolo di tamburo. Perché non si guardavano alle spalle quei due?

Chris mi diede una gomitata. – Cos'è questo?

– Effetti sonori – risposi.

– Non è il film – disse Chris, e ci voltammo indietro a guardare la sala. Adesso che gli occhi si erano abituati all'oscurità, riuscivamo a vedere l'aspetto cimiteriale di tutti quei posti vuoti.

L'uomo si era spostato diagonalmente ed ora stava seduto una decina di file dietro di noi. Tranguggiava pop-corn a quattro palmenti, rimpinzandosi nell'ombra sotto l'ampia tesa del cappello; qualche pezzo sotto i denti gli esplodeva di lato. La testa era così ritratta che il cappello pareva appoggiarsi direttamente sulle spalle, e la mano guantata di bianco si muoveva continuamente dal pacchetto all'ombra, dall'ombra al pacchetto. Doveva essersi accorto che lo stavamo osservando, perché la mano si levò e si agitò a mo' di saluto.

Guardai verso Chris con una smorfia di disgusto, e tornai a fissare lo schermo. Il Cyberkiller stava per raggiungere la coppia; il suo artiglio affilato era contratto nell'attesa.

Chris tornò a darmi una gomitata.

– Senti, vuoi piantarla? Adesso viene il bello! – gli sibilai in un orecchio.

– Si sta avvicinando...

Diedi un'altra occhiata sopra la spalla; quel verme era cinque file dietro di noi. Tolse la mano dal grosso pacco di pop-corn e mi indirizzò un saluto agitando le cinque dita.

– Ignoralo – dissi.

– Penso che dovremmo avvisare il padrone.

– Avvisarlo di che? Non ci ha ancora offerto nemmeno una caramella.

– Non importa. Io ho paura. – Accennò ad alzarsi, ma lo afferrai per un braccio e lo feci risedere.

– Non essere così coniglio. Tutto quello che il padrone potrebbe fare è cacciarci fuori perché non abbiamo quindici anni. Se non gli salta addirittura in mente di telefonare a casa nostra. O alla polizia! Adesso, *ssst*!

Mi ero appena perso una bella scena di sangue, e bisogna sempre aspettare almeno una ventina di minuti prima di averne un'altra; c'erano strisce di sangue tutt'attorno alla pozzanghera rossa sull'asfalto.

La scena cambiò e si vide una casa della periferia,

con un bambino intento a giocare nel cortile sul retro, dentro ad una vasca piena di sabbia. Il campanello suona e la madre corre ad aprire.

– Mi spiace disturbarla, signora, – dice il poliziotto con voce biascicata – ma abbiamo motivo di credere che il Cyberkiller sia nelle vicinanze... – La ripresa è di nuovo nel cortile, dove il bambino, ovviamente, sta sgattaiolando fuori dal cancello...

Mi sentii toccare una spalla e, abbassando lo sguardo, vidi quattro dita bianche, che sembravano una fila di lumaconi.

– Mi tolga le mani di dosso! – esclamai.

La mano guantata di bianco svolazzò via, e si udì un umido sospiro di sotto il cappello. – Volevo solo offrirvi un po' di pop-corn.

Saltai su dalla mia poltrona, il cui sedile si richiuse rumorosamente, e mi spostai verso l'estremità della fila. Chris mi seguiva.

– Andiamocene, – implorò – non è poi un gran film!

– Oh, sì che lo è. Devo riconoscere che quello schifoso non è male come imitazione di un serial killer, ma non mi lascio impressionare. Ti dico io cos'è. E' un vigliacco che si fa grosso tentando di spaventare i bambini.

– Credete ai fantasmi? – La voce filtrò in mezzo alle nostre spalle.

– No! – esclamai. – Chiuda il becco.

– Lei è un fantasma? – domandò Chris, continuando a guardare di fronte a sé. Vidi che aveva il naso lustro di sudore.

Immagini violente si agitavano con un riflesso rossastro nei suoi occhi fissi e lucidi.

– Io no, ma mi piacerebbe davvero parlarvi di loro.

– *Ssst,* – feci io, e sussurrai a Chris: – E' della peggior sorta dei rompiballe da cinema, di quelli che chiacchierano, sgranocchiano pop-corn e tengono il cappello in testa.

Sentii una tiepida zaffata di alito lambirmi l'orecchio.

– I fantasmi, miei cari, come vi stavo spiegando, sono le tracce insanguinate di una tragedia là dove essa ha avuto luogo.

Io mi alzai e mi spostai cinque posti più in là, verso destra, seguito da Chris. E anche dalla voce.

– ... mentre io, – proseguì quella imperterrita – si può dire che sia più simile ad una emanazione. Quando questi raggi dorati danzano nell'oscurità, vedete, si leva la puzza della paura, gran zaffate che emanano dagli spettatori... e che si avviluppano sciropposamente nel mobile fascio di luce con una tale consistenza che gli spiriti si solidificano, e galleggiando vanno ad infestare queste sale dove si celebra il mito. E noi altri spiriti ci nutriamo di questa paura che ci ha materializzati. Andiamo a scovarla, e succhiamo il dolce terrore degli spettatori, e più lo spettatore è giovane, più è faaaciileee spaventarlo!

Sentii il sedile di Chris che si richiudeva di botto, e lui che si scapicollava lungo la fila cercando di raggiungere il più in fretta possibile l'uscita.

– Aspetta! – gli gridai, e mi precipitai dietro di lui, afferrando la porta proprio mentre mi si stava per richiudere in faccia. La cassiera annuì con aria soddisfatta quando ci vide piombare rumorosamente nell'atrio.

– Ve l'avevo detto io che era nauseante!

– Calmiamoci un attimo – dissi affannato, acciuffando Chris per una manica mentre ci stavamo precipitando giù per le scale. – Quello è solo un tipo strambo.

Aveva gli occhi accesi, circondati da due occhiaie scure. E aveva una linea di trattini rossi sotto il labbro inferiore, segno che se l'era mordicchiato ben bene.

– Non ti preoccupare. E poi, comunque, non era un gran che come film – cercai di consolarlo. – Dài, vieni, che ti accompagno a casa.

Ci avviammo giù per la collina. Io mi voltai. Era il crepuscolo, ed un triangolo d'ombra tagliava in due la facciata del cinema, impedendomi di vedere le porte; riuscii solo a scorgere le lettere rosa del neon.

– Non lo vedo – dissi, e fui colto mio malgrado da un brivido. – Facciamo una corsa.

E' strano come qualunque periferia sia una specie di terra straniera, con case di dimensioni diverse, il colore dei mattoni, e della gente, così poco familiare. Qui sulla collina il sole picchiava da vicino, riducendo le nostre ombre alle dimensioni di un pezzo di puzzle. Una ferramenta, un negozio di video, un ottico erano alle nostre spalle; un droghiere, un giornalaio, una cabina ci stavano di fronte, e poi la metropolitana. Avevo un sapore aspro in bocca; il frastuono del traffico mi pulsava nelle orecchie al ritmo del mio respiro affannoso. Mi venne da tossire e dovetti piegarmi, afferrandomi le ginocchia. Tutto il corpo mi pulsava al ritmo del battito cardiaco.

– Non puoi fermarti adesso! – mi urlò Chris. Giù per la collina, dietro di noi, ondeggiava la forma ricurva e pipistrellesca dell'ombrello.

Sputai e mi raddrizzai, tentando di ritrovare il mio sangue freddo. — Ma perché sei così fifone? — dissi.

Chris mi prese per un polso e mi trascinò verso l'ingresso del metrò, coi muri rivestiti di piastrelle da bagno. Mi svincolai dalla sua presa e annaspai nelle tasche in cerca dei biglietti (c'è talmente tanta roba nelle mie tasche, tipo la tessera per il videonoleggio, tagliandi per una porzione omaggio di pizza al taglio e altro ancora); finalmente li trovai. Mi misi subito a staccare la chewing gum che vi si era appiccicata sopra, in modo da farli passare attraverso la macchina obliteratrice. Non mi è mai capitato di vedere qualcuno torcere e strizzare a questo modo le sue proprie mani.

— Accidentaccio, Chris, — dissi — sto tentando di fare il più velocemente possibile. — Chris si torceva le mani.

— Come posso tenere il vostro passo — ci piovve addosso quella voce ben nota. — Accidenti, andate talmente veloci che avrei potuto perdervi!

— Sarebbe meglio per lei perderci! — dissi, senza sollevare lo sguardo e tentando di far leva con l'unghia del pollice sotto la gomma. — Altrimenti la denuncio.

— Fallo pure, se vuoi; ma sappi che per altri meno vulnerabili, meno sensibili di voi io sono invisibile. Potrebbero facilmente prendervi in giro. Molto meglio portarmi a casa. Potete considerarmi, forse, come il gatto randagio che viene ad abitare da voi; o, paragone ancora più calzante, come l'edera sul campanile della chiesa; o anche come una lieve infezione del sangue.

— Non ho paura di lei — dissi, passando a Chris il

suo biglietto. – Perché non si fa vedere in faccia?

– No, – supplicò Chris – no, per favore, no.

Quell'affare si ritrasse un po' all'indietro. – Non sopporto la luce del sole, poiché io stesso vengo dalla luce e mi dissolverei in quell'elemento. E inoltre, la mia faccia è un distillato di tutti gli orrori visti sugli schermi; vi garantisco che preferireste non vederla.

Ho sempre pensato che nessun orrore può essere peggiore di quelli che ci immaginiamo noi stessi.

– Ah, sì – mormorò la creatura, penetrando il mio pensiero. – Ma io sono nella tua immaginazione, ed è lei che mi ha fabbricato.

Allungai una mano, e barcollai. Allora, feci un bel respiro e cercai di afferrarlo di nuovo, agguantandogli il cappello, la sciarpa, gli occhiali scuri. La mia mano affondò nell'apparizione, senza incontrare alcuna resistenza.

– Visto? – gracchiò. – Io sono la proiezione della tua paura.

– Se riesco a vederti senza maschera, – lo sfidai – e se non avrò paura, tu svanirai.

– Un accordo ragionevole, – ridacchiò – ma morirai di terrore, ragazzino, lascia che ti avvisi. Io sono al di là di qualsiasi incubo.

– Non fare l'idiota – piagnucolò Chris.

– Non ho altra scelta – replicai. – E se sei il personaggio di un film, come dici, una specie di fantasma del cinema, è così che ti tratteremo.

Mi avvicinai alla macchina per le foto-tessera e svitai lo sgabello ruotante verso l'alto.

– Ti faremo una foto – dissi. – Sai cos'è? Una specie di cinema, però immobile.

Diede un'occhiata nel vano interno della macchina.
– E' un gabbiotto piacevolmente oscuro, – notò – del tutto simile al sepolcro ne *La figlia del Diavolo*.

Si sedette.

– Esatto – confermai, tirando la tendina color arancione. – Adesso sì che puoi mostrare la tua faccia.

Da sotto la tendina, riuscivamo a scorgere i pantaloni spiegazzati all'altezza delle ginocchia, ora a fuoco, ora sfuocati, e dietro l'impermeabile ondeggiante. Vedemmo i guanti bianchi che, agili come quelli di un mimo, piegarono la sciarpa sulle ginocchia, collocarono il cappello sopra la sciarpa e gli occhiali da sole sopra la tesa del cappello.

– Ora! – bisbigliò Chris. – Battiamocela!

– Non ancora – gli risposi io, e feci scivolare due monete nella fessura dell'apparecchio; poi, premetti il bottone.

Qualunque cosa ci sia lì, dietro la tenda, stramazza senza un movimento.

Flash: la luce sfolgorante ne scolora l'immagine. Le mani si alzano dalle ginocchia con le dita che si contorcono.

Flash: il cappello si rovescia, gli occhiali scuri cascano per terra. Le ginocchia si contraggono a scatti. Si sentono dei gemiti acuti. La sciarpa scivola giù, lungo la gamba dei pantaloni, e striscia fra le scarpe. Sentiamo un odore rivoltante.

– Che succede? – grida Chris.

– Morte da esposizione – dissi io. – Anzi, a dire il vero, parecchie esposizioni.

Flash: una dopo l'altra, le dita guantate cascano a

terra con piccoli tonfi. Il soprabito e le scarpe si appiccicano l'uno alle altre, formando una poltiglia collosa che finisce gorgogliante dentro le scarpe stesse, per poi traboccare pigramente spandendosi tutt'attorno.

Flash: scarpe, ombrello e occhiali si sgretolano dentro la pozzanghera, dove già si stanno contorcendo quelle dita formato larva. E' tutto un ribollire, un luccicare turbinoso, e alla fine non resta che una chiazza di polvere.

Lontano sotto di noi passa un treno, e la corrente d'aria spazza il suolo, sparpagliando la polvere in lunghe strisce. Stiamo lì a guardare come ipnotizzati, mentre un uomo in tuta da lavoro ci passa davanti con passo strascicato; la sua scopa raccoglie pacchetti vuoti di patatine, vecchi giornali e mozziconi di sigaretta, li sospinge in avanti, aggiungendo al miscuglio anche una cucchiaiata di orrore istantaneo in polvere.

– Vi va bene, a voi, – ci dice – che potete godervi un bel giorno di vacanza.

Passiamo i biglietti nel passaggio automatico e prendiamo la scala mobile. Camminiamo in tutta calma verso il binario, dove aspettiamo il treno.

Ecco che si avvicina, e un urlo risuona lungo il tunnel.

– Qualcuno qui si è beccato proprio un bello spavento – osservai, vacillando all'ingresso del vagone. Mi venne da sorridere fra me e me. – Di solito le fototessera delle macchinette sono orripilanti, – aggiunsi – ma scommetto che quelle lì sono ben altro!

I GUERRIERI DI PENGE

Fin da quando ero molto piccolo, sono sempre stato attratto dal *fantasy*. Ho cominciato con le storie di fate, anche quelle che cominciavano: "Un re aveva sette figli, tutti maschi, e decise di assegnare a ciascuno una missione..." Continuai poi con il tipo di storie che iniziano: "Solo i temerari o i molto coraggiosi si azzarderebbero di loro spontanea volontà ad affrontare un viaggio attraverso la Foresta Oscura; chissà quali mortali avventure attendono il viaggiatore imprudente che si inoltra in quell'oscurità sinistra e minacciosa?" Sono riuscito a suscitare perfino l'interesse di mio fratello maggiore, anche se a lui resta il sospetto che non sia roba da "duri". Presto abbiamo scoperto i giochi di ruolo, ma non sono mai riuscito a coinvolgere i miei compagni di classe, e Darren non l'ha mai neanche proposto ai suoi amici, per paura che le ragazze lo scoprissero; allora abbiamo deciso di cercare altri giocatori mettendo un annuncio nella bacheca del negozio di giochi più fornito di Londra.

Un sabato mattina abbiamo preso il metrò e poi l'autobus, fino al centro commerciale dove sta il negozio.

L'AVVENTURA INIZIA QUI:

Cosa dobbiamo fare:
a) prendere la scala mobile e andarci a bere una Coca?
b) entrare nel Negozio degli Scarti e dare un'occhiata a quei decrepiti giocattoli per adulti?
c) dirigerci immediatamente verso il negozio?

Mi dispiace, ma questa è la *mia* storia, non la tua, quindi non tocca a te scegliere. Inoltre, secondo la mia esperienza, le cose di solito accadono, semplicemente, senza che tu abbia nessuna voce in capitolo. Come sai già, ci stiamo recando al negozio, quindi, continuiamo con questo.

La vetrina di solito è esaltante, con tutti quei draghi e guerrieri, una vetrina che ti riscalda il cuore, in questa desolata landa di rivendite di calzini e di sofà. E' un po' come alla fine di una lunga ricerca, quando ti sei fatto tutta la strada dal sobborgo di Penge fin qui. Nel negozio c'è una teca di vetro per modellini dipinti. Ci dò sempre un'occhiata per vedere che effetto mi fanno i miei. Dopo i giochi in scatola, dopo i libri e prima delle T-shirt c'è la bacheca per i messaggi.

Quel sabato, di buoni ce n'erano pochi.

"Siamo i GUERRIERI DELL'IMPARETORE. Facciamo tutto quello che lui ci Ordena per combatere contro i suoe NIMICI che saranno sgominati in tutto il paese."

– C'è qualcosa di minaccioso in questo qui – ha osservato Darren. Ho riflettuto un secondo.

– Saranno le maiuscole. Gli danno l'aria di una richiesta di estorsione. Ehi, quello non è terrificante?

"Sia chiaro che questa giusta sfida è lanciata a qualsiasi Pretendente e a tutte quante le canaglie. Lasciate che i Tirannelli e i litigiosi briganti si facciano avanti e si incontrino in equo combattimento in luogo da destinarsi, e che gli dei facciano splendere il loro sorriso sul giusto.

firmato: La Sua Serenissima Maestà,
Difensore del giusto,
Signore dei mari gemelli,
Sigismondo il Senzanome,
Sommo Duca di Fagleno."

– Bah – ha commentato Darren. – E' un idiota. Non è affatto senza nome, si chiama Sigismondo, Sommo Duca di Fagleno; ha un numero di telefono dell'area di Croydon, quindi è completamente fuori.

– Comunque, come stile non è male – ho detto io con una punta di invidia, attaccando lì di fianco il mio messaggio. Se consideri anche il disegno, mi ci era voluta un'ora per farlo bene.

"A CHI HA IL CORAGGIO:
Noi gli Eliminatori lanciamo una sfidda a chiunque sia abbastanza coragioso o ritenga che il su essercito sia abastanza forte da combattere martedì, dalle 8 alle 10 di sera, a Penge, in Bexley Avenue 65.
Darren e Dale
I GUERRIERI DI PENGE"

Sembrava a posto. Poi ho comprato un modellino di Madboy con Ascia Insanguinata, e siamo venuti via.

– Non ti pare che sia un po' rischioso? – ha detto Darren, mentre scendevamo con la scala mobile.

– Che cosa?

– Mettere così il nostro indirizzo. Potrebbe vederlo uno scassinatore, un pervertito o chissà chi altro.

– Vuoi forse dire che dobbiamo chiedere referenze? "Scusate, Sigismondo, vostra signoria, potreste mostrarmi le vostre credenziali?" – ho replicato io, in tono di burla.

Mi piace pensare che noi, giocatori di ruolo *fantasy*, siamo una sorta di sacra confraternita.

Avevamo scelto la sera del martedì, perché papà e mamma sono fuori; può essere davvero disdicevole per la tua reputazione, ad esempio, di Selvaggio Guerriero del Caos, se tua madre arriva con la cioccolata in tazza. La sera di martedì ho aiutato Darren a riordinare la sua stanza. Ci sono sempre i calzini di almeno una settimana sul pavimento, ma non mutande. Forse non se le cambia mai. Abbiamo sistemato il tavolo nel mezzo della stanza e abbiamo srotolato la megamappa di vinile, poi siamo scesi in cucina a prendere alcune sedie, patatine e bibite. Verso le sette ho cominciato ad innervosirmi all'idea che nessuno si facesse vivo. Alle sette e mezza, ormai, speravo che non arrivassero più.

Però devo dire una cosa: sono sempre molto orgoglioso della nostra casa quando qualcuno viene a trovarci la prima volta. Il papà l'ha resa veramente carina. E' la metà di una villetta bifamiliare, ma la nostra metà ha le finestre coi tripli vetri (il rumore che viene dall'autostrada si sente appena), e il giardino davanti tutto cementato e delimitato da catene, in modo che ci possiamo parcheggiare tre macchine. Davvero elegante!

Ho preso carta e matite, oltre ai dadi, e mi sono seduto in attesa. La camera era fantastica, con solo la lampada snodabile accesa sul tavolo. C'era una certa *atmosfera*, ecco la parola. Ho cominciato a ripassarmi le istruzioni e a calarmi nel mio personaggio. Si chiama Mordred, un mascalzone metropolitano che campa di espedienti. Ci ho messo un anno a costruirlo.

Quando ha suonato il campanello, mi sono precipitato di sotto e ho acceso la lampada del porticato. Ho aperto la porta; sul giardino c'erano due visitatori.

– Salve! – ho detto. – Mordred vi dà il benvenuto, o esausti pellegrini. – Erano un bimbotto rotondetto con un cappello da baseball in testa e un ragazzo alto vestito da monaco.

– Non dirmelo, non dirmelo, – ho esclamato – tu devi essere Hemler Carnemarcita, Gran Stregone del Caos! (C'è una foto nel manuale delle istruzioni).

– No – mi ha risposto. La sua voce risuonava dalle ombrose profondità del cappuccio. – Io sono il Vendicatore.

Aveva un'inflessione del Kent tanto accentuata che si poteva farla a fette.

– E io sono il Gigante Lorin, Potente Macellatore di Bredith – ha sibilato il bimbetto. Penso che si sentisse un po' trascurato.

– Entrate, – ho detto – diritto su per le scale. – Mentre il Vendicatore mi passava davanti, ho notato con ammirazione l'autentico squallore del suo costume, l'abito putrido, marcescente. Portava dei sandali che nemmeno un frate straccione avrebbe potuto tollerare.

– Vi siete trovati sullo stesso autobus, no? – ho chiesto, mentre entravamo in camera di Darren.

Lui non mi ha risposto, mentre il bimbotto, dirigendosi sull'altro lato del tavolo: – Non siamo insieme – ha detto.

Ho presentato loro Darren (lui gioca col suo vero nome, anche se non bisognerebbe farlo) e ci siamo messi a sedere. Ho spiegato la situazione, che consisteva nel fermare l'esercito dei morti viventi che stava occupando la Valle di Cornofragile per marciare su Bretonnia. Avevo progettato io stesso la mappa dei luoghi, e le foreste erano fatte con la paglietta verde per pulire i tegami. Darren ha fatto girare le patatine, che erano di quelle costose, alla paprika e formaggio.

Il vendicatore stava borbottando fra sé e sé, annaspando sotto la tonaca. D'improvviso, ha fatto scattare un braccio, ossuto come un'ala di avvoltoio, nel bel mezzo del tavolo. Le grotte dei nani, le colline di Skaag e il Palazzo di Kazrad Kain, e persino i miei migliori segugi da combattimento, sono rovinati a terra sul tappeto, mentre lui tirava fuori una grande pergamena.

Ero davvero indignato, devo riconoscerlo; ma quando ha cominciato a srotolare la pergamena sul tavolo, ho trattenuto il respiro. Era una carta geografica, splendidamente disegnata. Si riuscivano a scorgere i diversi alberi della foresta, querce, pini ed altri di cui non conosco il nome; si vedevano persino gli uccellini tra i rami, mentre le onde increspate dei fiumi erano rifinite in argento. C'erano pascoli con le pecore, e qualche villaggio di capanne col tetto di vimini, quasi tridimensionale.

– Niente Coca sul tavolo – ha stabilito Darren, e abbiamo cominciato a giocare. E' stato deciso che il Vendicatore fosse il direttore di gioco, dato che la carta era sua. Io mi sono vergognato molto della mia mappa.

– Molti secoli fa, – ha cominciato il Vendicatore – quando il mondo era ancora verde e incontaminato, gli Dei di Pietra e i loro seguaci saccheggiarono la terra. Un pastorello che stava in cima ad una collina li vide arrivare e si preparò a respingere gli invasori.

Con un dito, che controluce sembrava un'oscura protuberanza, ha indicato Darren. – Tu incontri il ragazzo nella Valle di Spronallodola. Pensi di combattere contro di lui? O lo trasformerai in una statua di pietra? O ti dileguerai nella foresta?

– Combatterò – ha detto Darren, e ha tirato i dadi. Ha fatto trenta, abbastanza per uccidere il ragazzo e galoppare verso il villaggio vicino. Io e Lorin, nascosti nel folto del bosco, ci siamo lanciati dietro di lui, e insieme abbiamo incenerito il villaggio. "Raso al suolo", credo che si dica. Mi piace un sacco essere il cattivo, è la cosa più divertente. E cerco sempre di fare le scelte più rischiose.

Tutto ciò che saccheggiavamo, il Vendicatore lo cancellava dalla carta con una manica, così che rifugi e paesini si mescolavano tutti in un'unica macchia grigiastra. Un po' un peccato, a dire il vero.

– Questa è stata una vera bazzecola – ha detto Lorin.

– A me pare che dovresti renderlo un po' più difficile, con draghi e cose simili. Orchi, ad esempio.

– Il direttore di gioco ha sempre ragione – gli ha fatto notare Darren.

– Non direttore di gioco, *Master* si dice, per amor del cielo – ho detto io. – Ogni volta che dite "direttore di gioco" mi viene in mente un allenatore col fischietto, che ci fa mettere la tuta e fare le flessioni. Però, sì, effettivamente questo *fantasy* bisognerebbe renderlo un po' più movimentato.

Il Vendicatore si è sporto verso di noi attraverso il tavolo, così che abbiamo sentito scrocchiare le sue giunture.

– L'ora è tarda – ha mormorato. – Quando ci incontreremo di nuovo, sarà per fare questo giochetto da sbarbatelli, o piuttosto per scontrarci in un confronto mortale per la terra dei miei avi? – Due punti luminosi brillarono dentro il cappuccio.

– Niente in contrario – ho detto io.

– Combattimento all'ultimo sangue, certamente – ha soggiunto Darren.

– Uhm, certamente – ha detto Lorin. – Cioè, in che senso all'ultimo sangue? Mia madre mi aspetta a casa per le dieci e mezza.

Il Vendicatore si è alzato in piedi. Ha nascosto la mappa e ha buttato sul tavolo una carta dei Tarocchi. Su un lato c'era l'impiccato; sull'altro una mappa con una croce.

– Stour – esclamò Darren. – Non è la nuova cittadina in cui hanno trovato tutti quei tumuli?

– So dove si trova – ho detto io. – Sta dopo tutti quei capannoni su Rochester Road. Potremmo farla in bici.

– Non hai scritto l'indirizzo – ha brontolato Lorin, ma il Vendicatore si stava già dileguando giù per le scale.

– Non ha neanche detto grazie per le patatine! – ha osservato Darren. Io sono andato in bagno a prendere un po' d'aria.

Quando il martedì seguente è arrivato, eravamo piuttosto indecisi se andare o no. Dopotutto, il nostro messaggio era ancora attaccato nel negozio di giochi, e qualche giocatore avrebbe potuto farsi vivo. D'altra parte, la mia politica è sempre stata quella di optare per la scelta più rischiosa. Be', voi cosa fareste?

I Guerrieri di Penge dovrebbero:
a) restare a casa per ricevere nuovi guerrieri?
b) apprestarsi ad affrontare valorosamente l'immane sfida?

Dunque, abbiamo inforcato le bici sotto il portico e ci siamo diretti verso Stour. Stava piovendo e un gran ventaccio faceva impigliare vecchie pagine di giornale stracciate attorno alle ruote. Riuscivo a malapena a scorgere la luce rossa che traballava sul retro della bici di Darren.

– Scommetto che Lorin non verrà, – ho urlato, cercando di farmi coraggio – quella canaglietta col fegato di pappa.

Indossavo l'impermeabile, ma a causa degli spruzzi provocati dai camion in corsa i miei jeans erano bagnati fradici. Ho sterzato per evitare un monticello, che doveva essere stato un cane, e sono riuscito a raggiungere Darren. Sulla sinistra, una rete racchiudeva barili di petrolio e carrozzerie di macchine pressate; a destra, si susseguivano un mucchio di super centri commerciali. Abbiamo risalito faticosamente la collina, finché abbiamo raggiunto il nostro limite di resistenza, poi ci siamo lanciati in discesa, giù per l'altro versante verso Campoverde.

Era meraviglioso, proprio come un modellino fatto da un architetto, con mille casette stile Monopoli. Mi piacerebbe da grande fare l'agente immobiliare; è come giocare coi modellini, però su grande scala.

Era tutto illuminato come un albero di Natale con quei nuovi lampioni stradali (dei pali con in cima un globo luminoso); ci siamo fermati sotto uno di questi a consultare la cartina.

Dovremmo prendere: a) il Viale delle Querce?
                      b) il Vicolo Lungofiume?
                      c) la Svolta Pratodolce?

– La croce, veramente, è appena fuori dalla zona residenziale – mi ha fatto notare Darren. In quel momento, si è sentito un grido, ed ecco apparire Lorin con la sua bici.

– Aspettate un attimo, ragazzi – ha ansimato. – Ho già fatto il Vicolo e la Svolta. Nessun segno del Vendicatore.

Le strade erano deserte quando ci siamo lanciati tutti e tre affiancati verso il Viale delle Querce. Le case cominciavano ad avere le finestre buie, poi, poco dopo, non ne avevano più nessuna, come se l'architetto avesse dimenticato di disegnarle. Dopo un po', non si vedeva altro che le fondamenta degli edifici, grosse buche scavate per terra. La strada, coi suoi lampioni a forma di lecca-lecca, si faceva sempre più incerta, fino a disperdersi in sentieri appena accennati.

Darren si è fermato. – Non può essere la strada giusta – ha detto. – Propongo di scordarci questa faccenda e di andare a farci un hamburger da qualche parte.

Io feci una frenata, come se si fosse aperta una voragine davanti a me. – Ci siamo persi, oppure non sappiamo dove sia la strada – ho detto io, aguzzando la vista nell'oscurità. Tre metri più in là, si poteva scorgere il contorno della mia testa riflessa nella pioggia.

– Questo posto è un immenso cantiere in costruzione.

E' tempo di decidere.

Dovremmo: a) tornare a casa?
               b) esplorare quell'infido labirinto di buche?

– Sono d'accordo con Darren – ha detto Lorin. – Tutto questo non ha senso. Cioè, potrebbe anche essere un po' pericoloso.

Se la mettiamo in questi termini non c'è scelta, per quanto mi riguarda.

– Fate come volete – ho detto, voltandomi indietro a guardarli. – Io ho un appuntamento col destino. – Ho inforcato la mia bici e mi sono avviato pedalando su quel fondo fangoso.

– Torna indietro, non fare l'eroe! – mi ha gridato dietro Darren. – Deficiente! – Ho sentito che lasciava cadere la bici e cominciava ad avanzare attraverso quella melma schifosa.

– Andiamocene – ha implorato allora Lorin.

– Non posso, quel piccolo bastardo è sotto la mia responsabilità – ha risposto lui.

Le buche delle fondamenta a questo punto distavano solo un metro, e si intersecavano continuamente. Mi stavano portando verso il centro del cantiere, dove la terra era tutta smossa come una immensa tinozza di gelato. Ho visto una fila di piloni che non reggevano assolutamente nulla, e una base di cemento grezzo, il fondo di quello che un cartello definiva "Passeggiata Pratodolce". Ho appoggiato la bici ad un pilone e ho cominciato ad arrampicarmi su per una piramide di lastroni di marmo, da cui avrei potuto guardarmi attorno in cerca del Vendicatore. Avevo appena cominciato ad inerpicarmi su quella salita sdrucciolevole, quando qualcosa di metallico è venuto a cadere proprio vicino alle punte delle mie dita. Era una spada.

Alzando gli occhi, ho visto il Vendicatore in piedi sulla cima. Aveva cessato di piovere, ma il cielo ribolliva ancora, agitando le sue nubi come alghe marine nella notte di porpora. Sotto di me c'erano Darren e Lorin, le facce rivolte all'insù e le bocche spalancate in un'espressione infantile.

– Voglio la tua attenzione, Mordred – ha gridato il Vendicatore. – Questa è la terra che tu e i tuoi barbari antenati avete sottratto a me e ai miei avi. Ora, ti sfido a combattere per lei.

– Noi non c'entriamo per niente in questa faccenda! – ha strillato Darren. – Chi pensi che siamo noi, la Commissione per l'Edilizia Residenziale? Lascia in pace Dale. E' solo un bambino.

– Mordred mi ha lanciato la sfida, e io non andrò via finché la battaglia non sarà stata vinta o persa – ha insistito il monaco.

– Va bene, – ho urlato io – non ho paura del progresso. E neanche di te. Vieni giù e combatti!

Ho afferrato la spada e sono scivolato all'indietro. Come saette infuocate, altre due spade provenienti dalla cima mi hanno sfiorato sibilando nell'aria. Sono atterrato sulle ginocchia e stavo già brancicando in cerca della mia spada, quando ho visto Lorin che la brandiva. Il Vendicatore gli si stava avvicinando a grandi passi. Vedevamo il suo riflesso al chiaro di luna; poi è bastato che il Vendicatore facesse una rapida mossa, e la spada di Lorin era già persa. Il ragazzino è retrocesso di qualche passo e si è girato verso le case. Da qualunque parte cercasse di correre, le buche gli tagliavano la strada; era come un labirinto. Il monaco lo inseguiva senza affrettarsi, con le mani ritratte dentro le maniche.

Darren è venuto furtivamente al mio fianco e mi ha afferrato per un polso. Mi stava trascinando via.

– Non possiamo abbandonare Lorin – ho detto io. Ho liberato il braccio e ho cominciato a correre dietro di loro. Ormai, Lorin era fisicamente con le spalle al muro. Si è girato raspando contro i mattoni, mentre il Vendicatore si avvicinava sempre di più; con un gesto gentile, quasi paterno, si è sporto in avanti ad abbracciare il ragazzino. Ho dato un'occhiata alla faccia di Lorin, con la gola a strisce nere per le ditate del Vendicatore, poi l'ho perso di vista tra le spire del mantello.

LA SUA AVVENTURA FINISCE QUI.

– Dài, vieni – mi ha sussurrato Darren. Quando ho guardato di nuovo, il Vendicatore si era dileguato. E anche Lorin. Ho corso verso il punto dove si trovavano, ma non c'era più niente da vedere. Solo un berretto da baseball mezzo affondato nel fango.

– Per amor di Dio, Dale, – mi ha sibilato Darren in un orecchio – potresti, per una volta nella vita, fare quello che ti si dice di fare?

– Voglio riprendermi la bici – ho detto io, tornando sui miei passi. Avevo le scarpe affondate nella melma, così me le sono tolte per poter correre a piedi nudi. Avanzando, ansimavo e tossivo per le lacrime e il moccolo che mi scendeva dal naso. Raggiunto il luogo della Passeggiata Pratodolce, mi sono accorto che il Vendicatore era di nuovo in piedi sulla piramide di marmo, dall'altra parte. Aveva le mani alzate e le dita intrecciate come se stesse pregando. La striscia rettangolare di cemento che ci divideva rifulgeva alla luce della luna, fredda e scintillante come una pista di ghiaccio.

Ha emesso un ghigno torvo, e ha gridato: – Uno di voi giovinetti potrà continuare a vivere, se l'altro è disposto a combattere. Chi sarà? Fate voi la scelta.

Cosa avrei dovuto fare?

a) Combattere per riavere la bici, l'onore e la vita di mio fratello?
b) Darmela a gambe come uno spregevole codardo?

Ero arrabbiato per quel che era successo a Lorin e,

inoltre, tu conosci già la mia filosofia. Ho tirato fuori la spada dalla cintura e mi sono preparato a combattere sul fondo di cemento, ancora fresco di colata. Molto, troppo fresco, tanto che i miei piedi sono affondati fino alle caviglie. Qualche altro movimento, e non riuscivo quasi più a muovere un passo. Mi stavo cacciando nei pasticci: infatti, non facevo in tempo a tirare fuori un piede, che già il peso mi aveva fatto affondare l'altro ancor più in profondità in quelle sabbie mobili. Era freddo, e mi sono sentito come se la mia bara mi si stesse richiudendo sopra.

– Darren! – ho urlato. Ero ormai immerso fino alla cintola e non riuscivo più neanche a girarmi per cercarlo con lo sguardo. Ho annaspato sulla superficie, riuscendo a ruotare il corpo abbastanza per scorgere la sua figura su un monticello: stava dandosela a gambe. Il cemento mi schiacciava le costole come per strizzarmi. Ho gettato la testa all'indietro e, mentre mi sentivo trascinare sotto, ho emesso un fortissimo grido.

Un'ombra mi si è parata davanti. Era il nostro nemico, che mi allungava un braccio; mi sono sporto per raggiungerlo e per un attimo le sue putrescenti masse muscolari hanno avvinghiato la mia carne rosa. Tremavo. Lui ha lasciato andare la mia mano, e mi ha appoggiato le sue sulla testa, come in un gesto di benedizione. Ho sentito crescere la pressione sul mio capo. Sentivo i lembi di quel suo schifoso mantello sbattermi sulla faccia, mentre si piegava in avanti con tutto il peso. Mentre affondavo, solo il mio pugno ormai restava in superficie, con la spada ancora stretta nel palmo.

Ho sentito qualcosa sbattermi contro uno stinco. E'

stato come se Dio mi avesse raccolto col cucchiaio dalla sua ciotola di porridge, perché mi sono trovato improvvisamente per aria. Guardando in basso, ho visto Darren nella cabina di una escavatrice. L'ho chiamato, ma lui era alle prese con i comandi, nel tentativo di far scendere a terra il braccio meccanico che mi sorreggeva.

Questo si è abbassato improvvisamente, mandandomi a gambe all'aria sul margine della Passeggiata Pratodolce. Vacillando, l'escavatrice è tornata a dirigersi su di me, ma il cingolato era già mezzo sprofondato. Darren si è inerpicato sul tetto della cabina di guida.

– Striscia lungo il braccio dell'escavatrice – gli ho gridato. La macchina ha cominciato ad inclinarsi, e lui si è slanciato verso la terraferma con un balzo memorabile.

Appena il suo enorme peso si è schiantato sulla superficie, il collo di quel dinosauro meccanico si è contorto, con tutti i cavi attorcigliati intorno; poi il motore si è fermato, e il mostro, placato ed immobile, è stato inghiottito dalla palude.

Ho visto il nostro nemico tra i solchi dei cingoli, e mi sono messo a gridare, ma Darren mi ha afferrato.

– Va tutto bene – mi ha detto. – Sei in salvo, ormai.

Ho visto il nostro antagonista spiaccicato a terra, una lunga ombra scura, piatta come un biscotto, che il cemento ha inghiottito senza lasciarne traccia.

– Prendi la mia giacca, – mi ha detto Darren. Me l'ha messa sulle spalle, massaggiandomi le braccia per riscaldarle. Ho ritrovato le mie scarpe e siamo risaliti sulle bici, pedalando verso casa senza dire una parola.

Stavamo pensando tutti e due a Lorin. I ragazzini

stupidi vanno spesso a morire in cantieri edili e nessuno fa domande, ma è così ingiusto, perché questa volta sono stato io il ragazzino stupido, non Lorin. Non lo sarò mai più, comunque. Sono diventato grande.

BEN FATTO, PELLEGRINO! LA TUA RICERCA HA AVUTO BUON ESITO.

E' stato davvero così: mai più giochi di ruolo. Il sabato successivo, sono tornato nel negozio di giochi per togliere il nostro avviso. Ho esaminato la bacheca. Il messaggio non c'era più, ma dalla medesima puntina rossa pendeva una pergamena che così recitava:

Voi tutti, eserciti dei morti viventi, dalla Cambria alla Mercia, dal Wessex al regno di Pictish, alzatevi, oh alzatevi, ve lo ordino! Lasciate che le legioni delle tenebre avanzino in possenti schiere, scuotete la terra dalle vostre spade, stritolateli come denti di vipera, e depositate i resti sanguinolenti a:
Bexley Avenue, 65, Penge,
ogni martedì, dalle 20 alle 22.

LO SCHELETRO
E LA SUA CONSORTE

Le tre ragazzine si impiastricciarono la faccia di trucco, poi si tinsero di nero sulle guance e sotto gli occhi.

– Grande! – disse Lynn a Genna e Kelly. – Spaventeremo a morte tutto il vicinato. – Parlottarono ancora fra loro, dandosi un'ultima occhiata nello specchio del bagno, poi andarono a cercare la mamma di Lynn.

– Hai mica delle lenzuola vecchie?

– Sì, – fu la risposta – e sono nei letti, perciò scordatevele!

– Ma gliele riportiamo subito.

– Oh sì, tutte infangate, e con i buchi per gli occhi.

– Oddio, sei così ottusa certe volte, mamma! Come facciamo ad andare in giro per gli scherzi di Halloween senza uno straccio di travestimento?

– Ci sono delle vecchie tende nell'armadio del ripostiglio. Questa è la mia ultima offerta, se no farò tardi al party. Fate le brave. Non voglio venire a sapere che avete bloccato le maniglie delle porte, o che avete spruzzato acqua dentro le cassette delle lettere.

Le tre ragazze corsero di sopra nel ripostiglio in fondo al corridoio, e si arrampicarono su valige, vecchi asciugacapelli e stufette rotte, stipati là dentro fino alla nausea. In fondo all'armadio, c'era un copriletto color rosa smorto e alcune tende di chintz. Reggendone una e appoggiandosela addosso, Lynn si guardò nello specchio dell'armadio.

– Mia madre è una vera strega, – disse – non mi lascia mai fare quello che voglio.

– Non ti preoccupare, – rispose Genna – l'importante è che abbiamo qualcosa per travestirci. Cercherò un po' di roba per vivacizzarle. – E cominciò a rovistare nelle scatole di cartone vicino al letto, mentre Lynn continuava la perlustrazione dell'armadio.

– Questo com'è? – chiese. Lynn girò lo sguardo per contemplare Genna avvoltolata in una tenda, con una puzzola di pezza seduta sulla testa; l'aveva fermata con una cintura che le passava sotto il mento, la coda del pupazzo a penzoloni dietro la nuca e il nasetto irrequieto sollevato verso l'alto.

– Strambo o no? – domandò.

– C'è qualcosa di familiare nel complesso – osservò Lynn. – Ah sì, adesso capisco. Sembri la Regina Vittoria dopo la morte del consorte.

Kelly si mise addosso il copriletto rosa e un paralume di carta pergamena decorata con dei galeoni. Fra tutte e due sembravano appena uscite da una scena de *La Mosca III*.

– Zalve, io ezzere sienziato pazzo. Ma, prima che voi entriate nel commutatoren di molecole, fare attenzione che dentro non ci zia niente, ad ezempio, una mozca, o una puzzola, o un paralumen di pergamenen con le frange...

– Se pensi che io esca per strada così conciata... – esclamò Lynn, facendo sbatacchiare le grucce lungo il bastone dell'armadio. La mano le cadde inavvertitamente su un pezzo di tessuto, e quando l'ebbe tirato fuori, una nuvola di seta vaporosa invase il ripostiglio. Lynn lo appoggiò sul letto.

– Fantastico! – sospirò Kelly. – Pensi di mettertelo il giorno del tuo matrimonio?

– Matrimonio, io? No. Mai! Me lo metterò stasera, piuttosto. – Lynn si sfilò jeans e maglioncino e scivolò dentro l'abito da sposa. Sembrava fatto di raggi di luna. In piedi di fronte allo specchio, fece danzare attorno a sé cascate di seta frusciante. Genna si alzò sulle punte dei piedi ed appoggiò sul capo di Lynn la coroncina di fiori d'arancio, poi rimasero lì tutte e tre a guardare l'immagine riflessa nello specchio.

Era un vecchio specchio, il cui vetro deformava l'immagine, rendendola ondulata come se fosse stata sott'acqua. Genna fu la prima a rompere quel silenzio reverenziale.

– E' meglio che non te lo metta per uscire. E' molto vecchio, deve valere un sacco. E lo strascico si sporcherebbe tutto.

Lynn sbirciò nello specchio il suo viso, bianco come un cencio lavato, che si fondeva coi riccioli dorati; osservò quel suo aspetto scintillante e luminoso, che le parve senz'ombra di dubbio soprannaturale. Afferrando da dietro lo strascico - una vera cascata di pizzi - se lo girò attorno al collo come una sciarpa, finché ne restò solo un metro ricadente all'indietro.

– Andiamo! – disse alle altre.

Era una bella notte d'autunno, con parecchia foschia ma anche un po' di brezza. In alto, le chiome degli alberi stormivano come pulcini razzolanti, lasciando cadere lungo la strada foglie color zafferano. Kelly teneva in mano un sacchetto.

– Ce li divideremo più tardi – disse. – Non dobbiamo mangiare i dolci qui al buio, nel caso che qualche idiota ci abbia messo dentro delle lamette da barba. Certe cose in America le fanno, sapete? L'ho visto nel programma delle sei.

La strada era costituita da grandi edifici, per lo più uffici o monolocali per gente senza figli. Tuttavia, era divertente scrivere sulle porte frasi poco gentili. Fuori dal numero 56 si imbatterono in un tipo assai originale, che portava un impermeabile lungo fino ai piedi ed un carrello pieno di giornali vecchi. Salutò le ragazze come fossero amiche di vecchia data.

– Posso avere l'onore, madamigella? – chiese a Lynn, e si lanciò con lei in un valzer, facendola piroettare tra le foglie secche.

– Sto volteggiando, e il mondo volteggia insieme a me – canterellò rapito. – Bisogna essere pazzi per vivere qui, ed esserlo non è neppure di grande aiuto.

– Qualche volta ho l'impressione di essere l'unica persona coi piedi per terra nel circondario – disse Lynn. – Adesso dobbiamo andare, ma grazie, comunque.

I ragazzi di Glossop e i Jennings si stavano avvicinando al gruppetto, parlando animatamente.

– Ma a me piacciono moltissimo gli scherzi di Halloween – protestò il tipo bizzarro, mentre tutti si accalcavano sui gradini della casa seguente. Lynn suonò il campanello.

Una luce si spense nell'ingresso e si percepì un sussurrare di voci. La porta si aprì di una fessura.

– Cosa volete?

– Scherzo di Halloween!

La fessura si allargò, e il riflesso di una candela vacillò contro lo stipite della porta.

– Sarà una zucca di Halloween – disse Lynn a Genna, che stava rabbrividendo. – Hai troppa immaginazione, è questo il guaio.

Una voce filtrò attraverso lo spiraglio. – Vi piacerebbe un rospo in salamoia? E scarafaggi canditi?

Genna volò giù per i gradini e se la diede a gambe levate. Mentre gli altri le ridevano dietro, la porta si spalancò d'improvviso.

Lì, nell'atrio oscuro, stava uno scheletro. Il teschio riluceva di una luce biancastra che, uscendo dalle cavità degli occhi, gli si rifletteva sui denti, mentre gli interstizi tra un osso e l'altro sembravano i contorcimenti di uno spago nero pece.

Il gruppetto lanciò un grido e alcuni cascarono giù dagli scalini, ruzzolando malamente contro il carrello dei giornali.

– Che ragazze stupide – disse il tipo bizzarro. – Questo è il convitto delle infermiere. Non riuscite a capire quando vi stanno prendendo in giro? – Di fatto, sulla porta c'erano adesso un sacco di infermiere.

– Non vi fermate alla festa? – le stuzzicarono. –

Non dovete avere paura del nostro vecchio Jim! – Ora che le luci si erano riaccese, era evidente che si trattava solo di uno scheletro per gli studi di anatomia, collocato su di un piedistallo. Loro gli avevano solo messo una candela dentro il cranio.

Le amiche di Genna la rincorsero, dandosi spintoni ed emettendo suoni spettrali.

– Ne ho abbastanza – disse lei, mentre camminavano lungo la strada. – Penso che dovremmo piantarla lì.

– E' che ti senti stupida perché ti sei spaventata – osservò Lynn.

– No – rispose lei, con quel tono di voce un po' stridulo che si ha quando si tenta di negare l'evidenza. – E' solo che mi stavo annoiando. Siete così immature! E poi, non è che abbiamo ricevuto molti dolci.

– Una che si mette una puzzola come copricapo non si può permettere di accusare gli altri di immaturità. Sei tu la bamboccia, non c'è niente da fare.

– Non sono una bamboccia!

– Oh, sì che lo sei. Un cavolo di bamboccia che se la fa sotto! Guarda, scommetto cinque sterline che non sei neanche capace di passare per il cimitero di San Luca a mezzanotte. Sai, è quando escono tutti gli spiriti, i morti viventi, e si mettono a camminare tra le tombe.

– Sì, lo so. E scommetto dieci sterline che ci riuscirò. Tu, comunque, non sei tutta a posto, Lynn. – Si girò verso i ragazzi Glossop. – Sapete quali sono i suoi versi preferiti? I cronologi poetici sul giornale.

– *Se potessimo disporre del mondo intero*, – citò Lynn con tono lugubre – *lo cederemmo, sì, eccome, per veder la faccia del caro vecchio Papà sorridente sulla porta...*

– Visto? – disse Genna, mentre Lynn si esibiva in un ghigno cadaverico. – Morboso. Io me ne torno a casa.

– ... Non *lo vedemmo chiudere per sempre gli occhi* – proseguì Lynn con accenti ancora più tetri e tirandosi il velo davanti alla faccia.

– *Non lo abbiamo sentito sospirare.*
Abbiamo solo capito che se n'era andato
senza neppure un ultimo saluto.

– Conserva persino i ritagli dei necrologi – proseguì Genna. – E' davvero macabra!

– La chiamerei piuttosto priva di buon gusto e insensibile – soggiunse Kelly.

Il *Catford Herald* era il quotidiano preferito di Lynn. E non soltanto per i necrologi, ma anche per le inchieste di cronaca. Una volta, ne aveva fornito a Genna un esempio eccellente:

A causa della morte del marito, distrutta dal dolore, la signora Pat Corey, di 75 anni, aveva dato fuoco alla propria abitazione in Viale Briardale. E' stata condotta alla Casa di Riposo "Porto Sereno", ma si è gettata da una finestra del quarto piano. La gerente, Signorina J. Falmain, ha raccontato: "Mi sono sporta e l'ho vista appesa al davanzale. L'ho chiamata e le ho detto: – Su, venga da brava. Perché vuol fare una cosa così sciocca? – Ma ho sentito solo un gemito."

Tutto quello che Genna aveva saputo dire a commento dell'articolo era stato unicamente: – Dio mio, che cosa terribile! – Lynn a volte pensava di avere delle amiche davvero irrecuperabili.

– E' solo che le piace far colpo – proseguì Genna. – E' un modo per darsi un po' di arie. Be', io non ho nessuna paura. Accetto la scommessa. Prima passiamo da casa, poi ci vediamo a mezzanotte al cancello del cimitero. Con testimoni, O.K.?

– I testimoni per me vanno bene, – disse Lynn – ma devono restare all'ingresso, se no non vale. Devi essere tu da sola ad affrontare quegli zombi.

Restò a guardare gli amici che si allontanavano nella nebbia, poi augurò la buonanotte al tipo originale e si avviò verso casa. Solo una sosta lungo la strada: il convitto delle infermiere. Questa volta, non suonò il campanello, ma sospinse silenziosamente la porta che era rimasta aperta. Jim era proprio lì, con un berretto da infermiera sul teschio e un ombrello appeso alla clavicola. Lynn glieli tolse e con cautela sollevò la catenella con cui stava appeso al gancio. La candela era ancora accesa e proiettava farfalle di luce sui gradini dell'entrata.

Il cranio a guscio d'uovo riluceva sotto le sue mani, mentre i piedi scheletriti sembravano danzare sul pavimento di fianco a lei. Pensò che dovevano stare davvero bene insieme, lei e Jim: lei, con quella faccia color argento e lo sguardo ardente, i capelli ondeggianti, la seta frusciante attorno alle ossa appuntite di lui. Davvero una bella coppia! E si sentì molto soddisfatta dell'effetto provocato su qualche passante di ritorno dal pub: non doveva certo capitargli spesso di incontrare uno scheletro a spasso con sua moglie in una nebbiosa notte d'autunno.

Giunta a casa, Lynn spense la candela e adagiò Jim

sulla moquette. Non aveva della corda, ma trovò un martello e una scatolina di chiodi, e avvoltolò scheletro ed attrezzi dentro una trapunta.

Quando l'orologio di cucina segnò le undici e mezza, si caricò in spalla il suo fardello d'ossa e si avviò verso il cimitero. Non c'era anima viva per strada. Il cancello del cimitero non era chiuso a chiave, così riuscì ad entrare. Era un posticino delizioso, con angioletti sgretolati, tombe di famiglia che parevano capanni di pietra, pietre tombali così invase dal muschio che si sarebbe potuto dormirci sopra, tombe piccole...

"Hannah Elspeth Purley, anni 2. La nostra piccolina, tornata tra le braccia di Gesù".

Per un po', cedette alla comune tentazione di cercare il proprio nome sulle lapidi, ma era difficile leggerle, non solo perché era buio, ma anche perché le lettere scolpite erano ormai mezzo cancellate dal tempo.

Incespicò sulle foglie di ippocastano e cascò a capofitto tra le tombe. Mentre tentava di risollevarsi sui gomiti, ebbe la sensazione improvvisa che le tombe si piegassero verso di lei a guardarla. "E' una buona cosa che io non sia come Genna" pensò. "L'immaginazione non mi fa certo dare il meglio di me stessa." Si rialzò incespicando ancora, e si diresse verso il cedro, trascinando sull'erba alta la trapunta. Afferrando il fardello con i denti, si arrampicò su per l'albero, uno, due, tre rami, aggrappandosi saldamente al ruvido tronco. Gli aghi le graffiavano il viso, la corteccia era appiccicosa. Scelse un ramo orizzontale e vi strisciò sopra, con le ossa che scricchiolavano dietro di lei. Poi si rannicchiò, avvoltolandosi nel vestito.

Cercò a tastoni il martello e i chiodi. A causa del

buio e del vestito svolazzante, che le faceva attorcigliare i pizzi tutt'intorno alle mani, Lynn perse parecchi chiodi prima che uno riuscisse finalmente a fissare la catenella dello scheletro. Il battere sordo del martello faceva scuotere l'albero, mentre pezzetti di corteccia e gocce di pioggia le cadevano tra i capelli. Lasciò scendere lo scheletro in modo che fosse libero di dondolare, con quella calotta cranica simile a un mappamondo che piroettava sotto di lei... tre giri a sinistra... tre giri a destra...

Si acquattò in attesa, mentre l'albero su cui si trovava singhiozzava alla brezza che si era alzata a spazzar via la foschia. Rabbrividì, e per tenersi su di morale recitò "Ad una vecchia Zietta":

"O tu, che hai una Zietta,
Trattala con affetto.
Poiché non puoi mai sapere quando
Ti volterai a cercarla, e ti accorgerai
che lei non è più lì."

Quando Lynn era più piccola e meno cinica, si meravigliava di quelle colonne senza fine di frasi poetiche pubblicate sull'*Herald*. La cosa che più l'aveva impressionata era come i defunti del circondario avessero così tanti parenti addolorati per la loro perdita, e si sentiva confortata all'idea che la sua famiglia avrebbe avuto il cuore spezzato se mai le fosse accaduto qualcosa. Ma poi aveva sentito dire che sono le imprese di pompe funebri a fare pressione sui parenti, perché l'*Herald* dà loro una percentuale per ogni inserzione pubblicata.

Lynn sapeva che in casa sua non ci si sarebbe mai prestati a simili imbrogli. Non era mica gente che an-

dava tanto per il sottile. Quando suo nonno era morto, la nonna si era portata via i fiori della cassa, sostenendo che adesso lei aveva molto più bisogno di lui di tenersi su. Per una settimana aveva tenuto il nome "Sidney" scritto con garofani rosa sulla mensola del caminetto.

Mancavano cinque minuti a mezzanotte, e il vestito da sposa le si stava attaccando alla pelle fredda. Era certa che Genna non si sarebbe fatta viva. Sotto di lei, le foglie d'edera facevano fremere a tratti le loro linguette affilate. Osservò che alcune ombre si contorcevano sull'erba mentre il muschio sulle tombe iniziava - avrebbe potuto giurarlo - ad avere l'aspetto di un tappeto rilucente e peloso. Sembrava avvicinarsi strisciando, allora Lynn chiuse gli occhi e recitò: *"Caro cugino Bill, ancor ti amiamo, che tu fossi malato non sapevamo...",* ma quando li riaprì quella cosa spaventosa era ancora là, e si stava espandendo, tanto che l'intero cimitero divenne un'unica grossa bestia pelosa, che, respirando, faceva sussultare le buche e i cumuli di terra.

– Bene, – disse una voce – se fossi in te, pagherei e basta.

Il cuore di Lynn rallentò. Tutto era di nuovo normale; le sue paure tornarono ad infilarsi nelle loro tane.

– Sì, ma sono dieci sterline! – udì Genna replicare. – Inoltre, ho il mio amor proprio, io. Non posso lasciare che Lynn abbia partita vinta.

Qualcun altro, forse Jago Jennings, disse:

– Comunque, vedo che non si è neanche fatta viva! Alla fine, chi è la più bamboccia del gruppo?

Lynn si era sentita pronta a scendere dall'albero per

correre ad abbracciarli, ma a quelle parole si raggomitolò ancora di più là in alto e stette in agguato, con la catena in mano.

Il cancello cigolò. Si udirono passi esitanti scalpicciare sul selciato, e attraverso un'apertura nel fogliame del cedro Lynn scorse il profilo della testa di Genna. Lasciò calare lentamente la catena dello scheletro e le diede uno strattone.

– Uuuuuaaah! – fece, e: – Nooooooo. Iiiiiiih! – Lo scheletro dondolava, con le caviglie che scricchiolavano sbatacchiando l'una contro l'altra; Lynn fu costretta ad infilarsi un pugno in bocca per arginare un attacco di ridarella. Di sotto, i passi si arrestarono. Si udì un grido, ed attraverso l'apertura tra i rami riuscì a intravvedere una mano, una gonna al vento e una gamba e un piede per aria; ci fu uno scalpiccìo di passi concitati verso il cancello, che fu richiuso con grande fragore.

– Ho visto uno spettro! Sì! Dietro quel grande albero!

Le voci scimmiottarono. – Ah sì? L'hai visto, eh? Ma non siamo mica fessi!

– Andate voi a vedere, allora. Preferisco dare cinquanta sterline a Lynn che tornare là dentro.

– Vai tu, Jago.

– Io no!

– Neanch'io!

Seguì un po' di baruffa, poi il cancello si chiuse di nuovo fragorosamente, e le voci si allontanarono lungo la via.

Quel rumore suonò definitivo come il richiudersi del coperchio sul sarcofago. Lynn si spazzò il naso gocciolante con la manica. "Adesso sì, che capisco a cosa servono gli scherzi" pensò, e ridendo fra sé e sé: "A prendere in giro la gente, il mio sport preferito! Tentare di arginare il terrore che ti sta nascendo dentro è come chiudere la stalla quando i buoi sono già scappati."

La foschia la avvolse, infiltrandosi tra le pieghe dell'abito da sposa, ed improvvisamente Lynn ebbe la sensazione di essere come un moribondo, che sente fuggire via i suoni della vita, mentre il buio gli invade gli occhi, le orecchie e la bocca. Tutta la fredda solitudine del mondo si concentrò in quel cimitero. Le tombe, con i loro piccoli tetti scoscesi, somigliavano a portici, passaggi verso l'inferno. Non un inferno di fuoco e fiamme, ma piuttosto un luogo di tedio infinito, dove i corpi che non ce la fanno più a vivere soccombono alla putredine. Lynn non poté più nasconderselo: era terrorizzata.

L'orologio della chiesa cominciò a battere. Contò i colpi, ben consapevole che la mezzanotte del trentuno ottobre è il momento in cui si svegliano dall'ibernazione i mostri senza occhi, i quali, strizzandosi attraverso le crepe dei propri sepolcri, scivolano fuori da sotto le lapidi per il raduno annuale.

Tra gli aghi del cedro svolazzò qualcosa. "Oddio!" pensò Lynn. "Potrebbe anche essere solo un corvo." Strisciò lungo il ramo, ma non aveva nessuna intenzione di voltarsi indietro - quel che non vedi, non può spaventarti. Pensò di prendere il martello, ma non aveva molto senso attaccare qualcosa che era già morto stecchito. Raggiunto il tronco, si abbarbicò ad esso, facendo scendere le gambe, ma mentre ruotava il busto adocchiò qualcosa che si contraeva. Rifiutò di guardare cosa fosse. Continuò a scendere lungo il tronco, ma sentì qualcosa, morbido come una piuma, che le toccava il collo. Lentamente si girò. Allora lo vide, trasparente, sottilissimo, un lungo braccio bianco che galleggiava nell'oscurità, una membrana diafana che piombò su di lei e le avvolse il collo. "Non è immaginazione, questa..." pensò. Qualcosa le strinse la gola, strizzandola sempre più forte, soffocandole il respiro, finché le onde ruppero gli argini, le stelle le esplosero nel cervello, e non le rimase altra scelta che quella di lanciarsi nel vuoto...

Dal *Catford Herald*, 2 novembre 1994:

INQUIETANTE OMICIDIO
Ieri, la studentessa Lynn Frazer, di anni 14, è stata rinvenuta cadavere, appesa al cedro del cimitero di San Luca. Aveva addosso un abito da sposa ed è stata strangolata dallo strascico, inchiodato ad un ramo. Dallo stesso chiodo pendeva uno scheletro, intrecciato al corpo senza vita della ragazzina. Si pensa a qualche rito satanico. (Vedere p. 32 per i necrologi).

SCUOLA AMICHEVOLE

– E' una scuola amichevole, questa, Stephen – disse. – Una vera casa lontano da casa. E siamo tutti tremendamente informali. Non devi chiamarmi "Signore".

– Come ti chiami, allora? Joe, o Bill, o cosa? – domandò Stephen. La classe trattenne il respiro.

– Signor Buonemaniere, ragazzo. Devi chiamarmi signor Buonemaniere. – Tossì. – Bene, – proseguì brusco – saluta tuo padre. Non si preoccupi, signor Cole. Faremo di suo figlio una ragazzo tutto d'un pezzo. "Le Buonemaniere fanno l'uomo", mi perdoni la battuta.

– Non so proprio come ringraziarla per avere accettato Stephen con così poco margine di preavviso. Sa, questa vita nell'esercito, temo... è difficile poter fare previsioni. – L'uomo abbracciò stretto il figlio. – A presto, allora – disse.

Il ragazzo fissò la porta, dopo che il padre l'ebbe

richiusa dietro di sé.

– Bene, il lavoro ci aspetta, Cole. Distribuisci i libri di francese. Su, su, andiamo, non ti metterai mica a frignare come un lattante, no?

Stephen batté gli occhi, col viso pallido che diventava rosso intorno agli occhi e al naso. Mentre prendeva i libri, fece cadere per terra un portapenne. Io mi rilassai.

Eccolo qui, pensai. Il capro espiatorio di quest'anno.

Ogni giorno, c'era qualcosa che non andava, generalmente a proposito della sciatteria di Cole. (Io credo che il signor Buonemaniere si dia tutto questo gran da fare con l'ordine per compensare la propria personale decadenza di uomo di mezza età; ha una testa che sembra un prosciutto in giacca e cravatta.)

– Cole, si può sapere perché hai i calzetti a mezz'asta?

– Cosa, signor Buonemaniere?

– Si dice: "*Mi scusi*, signor Buonemaniere". Ah, e così sei pure sordo, oltre che trasandato! Vai nell'angolo, per favore. Dentro il cestino della carta straccia. Il "cestino dei peccati", come l'ho umoristicamente ribattezzato. No, con tutti e due i piedi, Cole. Non ricominciare a piagnucolare, adesso. Husayn, saresti così gentile da coniugare per noi il congiuntivo presente di *être*?

Dopo una buona mezz'ora, Buonemaniere disse:

– Mio caro Cole, mi ero completamente scordato di te! Vediamo; adesso facciamo un giochetto. Mi rendo conto che il francese può essere abbastanza arido, quindi cerchiamo di divertirci un po', eh? Allora, facciamo finta che tuo padre, che sta combattendo al servizio di Sua Maestà e del nostro Paese in terra straniera, facciamo finta che si trovi qui, di fronte al fuoco di un drappello nemico. Bene, Cole, il capitano del drappello nemico ti dice: "Ragazzino, sono pronto a risparmiare la vita di tuo padre se tu farai per me una piccola cosa. Tutto quello che ti chiedo è di mettere al futuro il verbo *mourir*." Riuscirai a fare quella cosuccia insignificante, Cole? Ricorda, la vita di tuo padre dipende da te.

Notai che Cole era dimagrito molto nelle ultime settimane, ecco perché gli cascavano i calzini. Sotto gli occhi aveva delle borse che parevano impronte digitali color lavanda, e la sua pelle era diventata quasi trasparente.

– *Je meure*, – cominciò lui – *tu*...

Il signor Buonemaniere fece schioccare la lingua.

– Oh caro, che peccato. Mi sa che dovremo proprio mettergli la benda sugli occhi. Esci dal cestino, Cole. Adesso, rovesciatelo sopra la testa. Bene, così, tiratelo più giù.

La classe ridacchiò. Sappiamo tutti che cosa ci si aspetta da noi in situazioni simili.

– Ecco l'occasione giusta per introdurre l'imperativo, cioè "Muori!" – proseguì il signor Buonemaniere, e si prese parecchi minuti per la spiegazione. Poi soggiunse: – Hai capito, Cole?

– Non riesco a vedere la lavagna, Signore, perché ho il cestino in testa.

– E' un vero peccato, perché questa è la tua ultima occasione. L'imperativo di *mourir*! Subito, per favore. Il plotone sta imbracciando i fucili. Stanno già mirando a tuo padre. I tamburi rullano. Stanno togliendo la sicura. Cinque... quattro... tre... due...

– *Je mourais* - gemette Cole.

– ...uno! – ruggì il signor Buonemaniere e, afferrando il suo righello di metallo, lo sbatté ripetutamente sul cestino della cartastraccia.

– Sbagliato, sbagliato, *sbagliato*, TESTONE che non sei altro! – Dal cestino risuonò un ultimo, prolungato rintocco, mentre Cole, aggrappandosi ai bordi, cadeva sulle ginocchia.

So che cosa stai pensando, ma lascia che ti dica che non c'è proprio posto per la compassione nei collegi privati. E' come essere presi sotto tutela senza tutela, è un ricovero per rifugiati, per i senza patria, i difficili, i diseredati; e ciascuno per se stesso.

Qualche settimana dopo, provai a farmi prestare una penna durante l'ora di francese.

– Chi ha parlato? – esplose Buonemaniere. Tutti guardammo Cole. Il signor Buonemaniere si alzò, sollevò la sedia e la depose dall'altra parte della cattedra. Poi, si rimise a sedere.

– Vieni qui, Cole – chiamò con voce suadente. Cole si avvicinò lentamente alla prima fila di banchi.

– Inginocchiati, – disse il signor Buonemaniere – e guardami in faccia. Non distogliere lo sguardo con quell'atteggiamento meschino. Fissami negli occhi, come un vero uomo. – Lo prese per il mento finché i loro visi si ritrovarono a pochi centimetri l'uno dall'altro. Cole chiuse gli occhi per evitare gli spruzzi di saliva. – *Guardami* in faccia, ho detto! La tua anima non ha segreti per me. Riesco a vedere benissimo l'arroganza che nascondi dietro quella faccia cupa. Chi ti credi di essere, eh? Eh? Il migliore di tutti noi, eh?

Il signor Buonemaniere inizia sempre con un sussurro e arriva agli urli con un crescendo graduale, mentre il sangue gli si fa più scuro e la faccia rigonfia.

– Che dolore sarebbe per tuo padre, se conoscesse il tuo vero carattere. Quel padre amoroso, che spende tutto ciò che ha per assicurare un'educazione a questo figliolo *buono a nulla, cattivo, ingrato!* Una piccola lezione di umiltà, ecco di cosa hai bisogno. Abbassa la testa, ragazzo!

Avvicinò tra loro le ginocchia con la testa di Cole strizzata nel mezzo. Mentre la faccia del ragazzo fissava il pavimento, il suo didietro si sollevò un poco.

Noi altri facemmo una risatina educata.

– Che ragazzi allegri siete, accidenti! – esclamò il signor Buonemaniere. – Temo invece che il giovane Cole non abbia nessun senso dell'umorismo. Questa è una scuola felice, sai, razza di tristo intralcio che non sei altro! E quindi coniugheremo insieme *rire*, che significa "ridere".

Mentre noi cantilenavamo la coniugazione, Buonemaniere teneva il ritmo battendo le mani sulla testa di Cole. – *Nous rions* (sberla), *vous riez* (sberla). – Siamo stati così ben addestrati che continuammo anche quando ci accorgemmo che Cole stava escogitando qualcosa. Dal mio banco in fondo alla fila, avevo un'ottima visuale. Scorsi le sue dita affilate che afferravano i lacci delle scarpe del signor Buonemaniere. Credo che li avesse avuti sotto gli occhi così a lungo, che non riusciva più a trattenersi. Le mani di Cole che le slac-

ciavano avevano un effetto magnetico sulla mia attenzione, mentre ci inoltravamo faticosamente nel più che
perfetto. Durante l'imperfetto, egli fece un nodo ad
una estremità di ciascun laccio e sfilò l'altra dai buchi,
finché furono abbastanza lunghi per incrociarsi nel
mezzo. Verso la fine del passato remoto, Cole aveva
annodato assieme le due stringhe.

Suonò la campanella. – Sparisci, Cole. Bene, ragazzi, per una volta abbiamo evitato di arrampicarci
disdicevolmente sugli specchi. – Il signor Buonemaniere si alzò e infilò il registro nel cassetto della cattedra. Raccolse i suoi libri e si mise la penna in tasca. Si
soffiò il naso, squadrandoci da sopra il fazzoletto. Si
aggiustò il nodo della cravatta. Poi, con un'espressione interrogativa, si mosse per uscire.

– Occhio! – gridò Cole, con un viso che esprimeva
gioia e terrore ad un tempo. Trenta banchi sobbalzaro-
no, quando il signor Buonemaniere precipitò a terra.
Con una smorfia di dolore, rotolò su se stesso, finché
riuscì a rimettersi seduto. Con le mani andò a tastoni
in cerca dei suoi occhiali, e quando li ebbe ritrovati -
una lente era tutta crepata - se li rimise sul naso. Nessuno rideva.

Cole si appiattì contro la parete, le gambe piegate,
le dita tese, come la sagoma tracciata a gesso di un
morto ammazzato, mentre Buonemaniere armeggiava
con le stringhe. Non riuscendo a districare il nodo, diede un feroce strattone che le strappò. Appoggiando una
mano sulla cattedra, si tirò su e si avvicinò zoppicando
a Cole. I suoi tratti scomposti sovrastavano ora la fac-
cina pulita di Cole: la pelle intorno agli occhi sembrava un guscio di noce, i labbroni, uniti senza soluzione

di continuità a due guance che parevano salami, tremolavano e si sporgevano verso il basso mentre cominciava a parlare.

– Tu, miserabile rospo! – esclamò. – Se dessi retta all'impulso... non importa. Kingsley, ti spiace chiuderlo a chiave nel ripostiglio della cancelleria?

Cole cominciò a mordicchiarsi le unghie.

– Oh, signore, no, la prego, non di nuovo! Sa che non sopporto gli spazi piccoli, mi fanno venire il panico. Mi dispiace davvero tanto, signore.

– Uno dei problemi che oggi minacciano l'educazione è la messa al bando delle punizioni corporali. L'incarcerazione, anche se solo per un'oretta o due, è il meglio che si possa offrire. Kingsley, per favore...

Portai Cole al piano di sotto, passando per la lavanderia, la stanza della caldaia, fino al ripostiglio della cancelleria.

– E' terribile qui sotto. Non chiudermi dentro, Kingsley, non lo sopporterei. Non potrei andarmi a nascondere nel boschetto?

– No, perché lui se ne accorgerebbe quando viene a tirarti fuori. – Mi dispiaceva per lui; dopo quello che aveva passato, si meritava un po' di pausa. – Senti un po', – gli dissi – ti darò la mia stecca di cioccolato. Non è poi così male, qui dentro, c'è una luce. Io mi vengo a nascondere qui, a volte, quando c'è la partita di calcio.

Si mise a sedere in un angolo del ripostiglio e, piegate le gambe, cominciò a togliersi le croste dalle ginocchia. I suoi occhi neri mi fissarono dal fondo di due grandi occhiaie color fango.

– Comodo, no? – dissi io. – Bello caldo, qui, vicino

alla caldaia. – Con mio sommo imbarazzo, vidi una lacrima scivolargli giù per una guancia, allora mi chiusi velocemente la porta alle spalle e diedi un giro di chiave.

"Non capisce quanto gli sia andata bene" pensai. Del cioccolato invece che il semolino!"

Quel pomeriggio ci fu la corsa campestre, poi iniziò la breve vacanza di fine trimestre, e per qualche giorno non vidi più Cole.

Tornammo la domenica sera, e ci mettemmo a disfare le valige.

– Dov'è l'eroe? – chiesi.

– Deve essere qui – mi disse Matsuda. – Ho visto la sua valigia al pianterreno.

– Siamo in pochi ad essere tornati – soggiunse Mahfouz. – Hanno tutti l'influenza.

Quando furono spente le luci, scivolammo silenziosi e furtivi fuori dalle camere verso la dispensa. Ormai è una tradizione, ci concediamo sempre un festino di mezzanotte per risollevare gli animi la prima notte del rientro.

C'erano Nakaoka e Husni di casato sassone, e Husayn e Mbulu, che sono normanni, e credo che ci fosse anche Patel, che è celtico. Avevano portato una bella scelta di dolci, e li sistemammo in mezzo a noi, sul davanzale della finestra su cui ci eravamo seduti, con le gambe a penzoloni nel vuoto. Fuori, il vento soffiava sopra il prato, formando sull'erba delle figure argentate e agitando i cespugli inumiditi. Nel vecchio edificio che si trova di fronte al collegio le finestre erano tutte buie, mentre le sue guglie medievali sembravano artigliare il cielo selvaggio. Non c'era altro rumore che il vento e le nostre mascelle al lavoro.

– Cos'è quello? – sussurrai io. Qualcosa si era mosso vicino alla cappella. Scorgemmo una figura, mezza nascosta dagli olmi, che avanzava lungo il viale di accesso. Rapidissima, informe, spuntava di tanto in tanto tra gli alberi. Poi deviò per il prato e cominciò ad attraversarlo. Ci accorgemmo allora che la figura portava una tunica legata in cintura ed un elmetto, come quelli che indossavano i crociati. Attraverso l'erba bagnata, quell'ombra luminosa cominciò a dissolversi, tanto che riuscivamo a scorgerlo ormai solo per l'elmetto rilucente.

Matsuda scivolò giù dal davanzale e si rannicchiò in modo che riusciva a vedere solo guardando verso l'alto. Si era aggrappato alle mie gambe, e sentivo le sue unghie penetrare attraverso i pantaloni del pigiama. Appena l'apparizione fu scivolata sull'erba, Mahfouz cominciò a strillare, e io dovetti tappargli la bocca con la mano.

– Zitto! – gli sussurrai. Tutto quel che volevo fare in quel momento era tornarmene a letto di corsa e nascondere la testa sotto le coperte, ma dovetti aspettare che si calmasse; poi, mi avvicinai al davanzale e pulii con una manica il vetro della finestra appannato dal nostro fiato. Con il cuore che mi tambureggiava nel petto, guardai giù. Poi, mentre la luna scivolava attraverso le nubi, cominciai a ridere sottovoce.

– Guardate, – indicai col dito – non era uno spettro, è Cole, che si è rimesso all'opera coi suoi scherzetti!

All'inizio, avevo riconosciuto la vestaglia blu col colletto a righe e la cintura tutta sfilacciata nel punto in cui lui era solito mordicchiarla. Poi, mi ero accorto che l'elmetto non poteva essere altro che il famoso cestino dell'aula di francese.

Be', per noi le cose erano chiare. Cole diventò istantaneamente una leggenda. Nei giorni successivi, non lo si vide a lezione, e non venne neppure a pranzo, ma fu visto di tanto in tanto passare come un fulmine per qualche pianerottolo o, al crepuscolo, aggirarsi furtivamente per il dormitorio come un fantasma.

– Si nasconde sottoterra, proprio come i partigiani durante la Resistenza.

– Finalmente, abbiamo chi combatte per la nostra libertà – osservò orgoglioso Matsuda.

Fu il mercoledì seguente che restammo senza la carta per le malecopie.

– Kingsley, mio giovane Mercurio, – mi ha chiamato il signor Buonemaniere – vuoi essere così gentile da volare al ripostiglio della cancelleria a prenderne un po'?

Cole era proprio nel seminterrato. Non è molto piacevole. Quando si apre la porta, termiti e scarafaggi corrono a ripararsi sotto la lavatrice. L'unica lampadina che penzola dal soffitto di cemento dondola nella corrente d'aria, proiettando ombre monumentali, che si impennano dietro i congelatori. Si riesce a stento a seguire il filo dei propri pensieri, tanto è il rumore della caldaia e di tutte le macchine in funzione. Ed inoltre, c'è la più rivoltante delle puzze. Ci feci caso mentre percorrevo frettolosamente il corridoio. Poi, girai la chiave del ripostiglio.

La prima cosa che notai fu il caos. Parecchi ripiani erano staccati, col risultato che quaderni rosa, gialli e blu giacevano sparpagliati sul pavimento. Cole se ne stava rannicchiato in un angolo, seminascosto dietro una valanga di carta strappata.

– Ah, è qui che sei venuto a nasconderti! – esclamai.

Non mi rispose. Io l'osservai più da vicino. Aveva davvero un aspetto terribile, peggiore che mai: la pelle era tesa e lucida sull'ossatura spigolosa, sotto gli zigomi aveva due incavi al posto delle guance. Una macchia blu gli segnava il mento e le labbra.

– Ho sentito parlare degli sniffatori di colla, – ho detto io – ma l'usanza di bere l'inchiostro mi giunge nuova. – Mi sono piegato su di lui e gli ho dato un buffetto. – Dài, sveglia!

Barcollando, si alzò e venne verso di me, per poi lasciarsi ricadere goffamente tra libri e bottigliette d'inchiostro. Le labbra gli si schiusero, rivelando una fila di denti blu di Prussia. Per un attimo rimasi esitante, poi mi misi a correre come un invasato.

– Scusi, signor Buonemaniere – dissi, rimanendo sulla soglia della classe.

– Che c'è, Kingsley? Stavamo aspettando la carta.

– La prego, signor Buonemaniere...

Lui vide la mia faccia, e venne verso la porta.

– Si tratta di Cole, signore – dissi io. Ci avviammo lungo il corridoio, sempre più in fretta. Cominciai a correre, mentre sentivo il suo passo pesante che mi seguiva. Giù per le scale, attraverso la lavanderia, oltre la caldaia... Ci fermammo sulla soglia del ripostiglio della cancelleria.

Il signor Buonemaniere, ficcandosi un pugno in bocca, si appoggiò alla porta e chiuse gli occhi. Subito lì riaprì per dare un'occhiata di sbieco al povero Cole.

– Oh, mio Dio! – gracchiò. – Me ne ero dimenticato. – Piegò un braccio contro lo stipite della porta e vi sbatté ripetutamente la testa contro. Poi, si raddrizzò e fece un profondo respiro.

– Guarda un po', Kingsley, il poverino è evidentemente vittima dell'epidemia di influenza. Aiutami a trasportarlo di sopra a letto, poi telefonerò a suo padre.

Lo presi per le caviglie, mentre il signor Buonemaniere lo reggeva per le ascelle. Era sorprendentemente leggero e, a parte qualche problema con le porte, riuscimmo a muoverci abbastanza velocemente.

– Grazie al cielo, quello delle pompe funebri è uno con la bocca cucita – bofonchiò il signor Buonemaniere.

– La prego, signore, – dissi – non sopporto il rumore che fanno le mani di Cole sbattendo contro gli scalini. Non potremmo metterglierle in tasca?

– Sssst, Kingsley, non c'è tempo. Presto, presto. Ci siamo quasi. Bene. Sul letto, adagio. Togligli le scarpe. Bene. Va' a dire alla classe di imparare "Nella pasticceria". Io arrivo tra un attimo, appena l'avrò ripulito.

– Va bene, signore.

– E non dimenticare di lavarti le mani.

– No, signore.

– E, Kingsley...

– Sì, signore?

– Posso contare su di te, Kingsley? Voglio dire, i tuoi genitori sono stati così orgogliosi della tua borsa di studio e, naturalmente, noi non potremmo spendere tutti quei soldi per te, se tu non fossi un membro fidato della nostra piccola comunità. Mi segui?

– Sì, signore, ma... – Una cosa mi inquietava. – Ho visto Cole, ieri, e stava benone.

– Oddio! – scoppiò in una risata isterica. – Basta che tu gli dia un'occhiata, Kingsley. Guarda com'è ridotto! Su, vai, vai!

In un bel pomeriggio d'ottobre, la scuola tenne una celebrazione commemorativa in cappella. Quelli di noi che fanno parte del coro si erano infilati la tunica rossa, per poi prendere posto sulle panche. Dietro di noi stavano gli insegnanti, il personale e il resto della scuola, e dietro a tutti i genitori. La luce del sole filtrava attraverso le arcate di pietra, indorando i nostri inni e rendendo sbiadite le fiammelle delle candele. L'organo suonava, e sbirciando al di là, riuscivo a vedere il luccichio di qualche lacrima negli occhi dei genitori. Poi, la mia voce si alzò con le altre: "Pur se andassi per valle oscura..."

Il salmo era in crescendo, e le sue note purissime si librarono tra i pilastri, innalzandosi verso i raggi luminosi.

Quando l'eco si spense, il signor Buonemaniere raccolse alcune carte e si alzò in piedi. Avanzò lungo la navata, con passi rimbombanti e la nera toga rigonfia e svolazzante; poi salì sulla scala a chiocciola del pulpito. Era un pulpito alto, e la sua figura appariva assai imponente, mentre si apprestava a pronunciare il discorso sopra all'aquila scolpita sul parapetto. Tirò fuori di tasca un fazzoletto, con cui si asciugò gli occhi, poi lo rimise a posto. Inforcò gli occhiali e, afferrando con le mani le ali dell'aquila, si sporse in avanti.

– In questo triste giorno, – esordì – siamo qui riuniti per pregare in suffragio dell'anima di un bambino dolce e gentile che, dopo averci arricchito con la sua presenza, ora non è più tra noi. "Lasciate che i bambini vengano a me," dice il Signore, e Stephen Cole, un ragazzino così promettente...

Non credo che si rendesse conto di stare perdendo l'attenzione dell'assemblea; infatti, uno dopo l'altro, fummo tutti ipnotizzati dalle sue scarpe. Erano entrambe ben piantate a terra ai due lati del leggìo, così splendidamente lucidate che un raggio di sole dava alle loro punte marroni un luccichio quasi soprannaturale. Le stringhe avevano le estremità di un nero metallico, che, lentissimamente, prima sulla scarpa destra, poi su quella sinistra, cominciarono a slacciarsi. Mani invisibili fecero due nodi alle estremità, poi, con cura infinita, legarono insieme le stringhe tra i piedi di Buonemaniere.

FELICIANDREA,
TALPA E CUCCHIAIO

Avevano costruito il nuovo supermercato proprio
in cima alla collina, nei pressi dell'incrocio. A Joanna,
che pedalava su per il pendio (lentamente, a causa del-
l'asma), e vedeva i corvi accalcarsi sulla facciata
postmoderna, dava sempre l'impressione che fosse un
castello. All'inizio, era rimasta affascinata dalla
spaziosità, dalla pulizia, dall'incredibile abbondanza
di merci da comprare - cento diverse marche di sham-
poo, ad esempio - ma, dopo qualche settimana, era ar-
rivata alla conclusione che più prodotti significavano
più roba da spingere dentro quei carrelli recalcitranti;
e per di più, che cosa se ne fa uno del *kumquat* o del
formaggio di pecora norvegese?

Un venerdì dopo la scuola, mentre lottava lungo le
corsie alle prese con un carrello refrattario, le venne
in mente di mollarlo lì e di acciuffarne uno incustodito
dalla fila per le casse. Non sarebbe mica stato un fur-

to, se avesse pagato il contenuto; era solo un modo per ritrovarsi con un carrello bello carico, senza l'assillo di doverlo riempire - un misterioso carrello magico, pieno di cose che lei di solito non mangiava.

Tortellini, tagliatelle, *Paglia e fieno*. Formaggio Quark. Ed ecco, anche del lombo disossato. Poi ancora, di un rosso porpora nelle loro confezioni surgelate: fegato, rognoni, lingua di bue affumicata. "Sono contenta di non averla vista quando stava ancora nella bocca" le venne fatto di pensare. Proprio in quel momento, notò i tre uomini.

Apparivano del tutto fuori posto, mentre si trascinavano con quei loro cappotti sdruciti e i capelli ispidi e opachi come la crusca. Con le dita lasciavano scie untuose da lumaca lungo gli scaffali, solitamente disinfettati come una sala operatoria; ma ciò che attrasse di più l'attenzione di Joanna fu che uno di loro, invece che un carrello, stava spingendo un carretto di legno. Lanciava occhiate furtive, mentre gli altri due erano chini sul comparto delle carni congelate.

Si fermò, dubbiosa sul da farsi. Doveva avvisare un inserviente? Ma, santo cielo, un carretto di legno! Come potevano mai pensare di svignarsela inosservati con quel coso? Convinta che non fosse affar suo, si stava dirigendo verso il ripiano delle salse, quando con la coda dell'occhio vide qualcosa di voluminoso che veniva tirato fuori dal congelatore e buttato nel carretto. Sopraffatta dalla curiosità, si girò e vide una donna. Le sue gambe penzolavano dal retro del carretto, mentre la testa ciondolava sul davanti; le si vedeva il viso di sotto in su, constatò Joanna con una smorfia. La pelle era livida, le palpebre abbassate.

– Posso aiutarvi? – gridò Joanna, correndo verso di loro. – Oddio, è terribile! Vado a chiamare un'ambulanza. Nessuno ha visto per caso come ha fatto a cascare nel congelatore?

L'uomo piccoletto col cappello era tutto impegnato a sistemare le braccia della donna dentro al carretto, mentre quello grasso e senza denti cercava di tirarle in dentro le gambe, ma queste continuavano a saltar giù. L'uomo più alto stava coprendo la donna con dei sacchi.

– Non potete farlo! – esclamò Joanna. – Sono sicura che non si deve spostare qualcuno che ha avuto un incidente. Dobbiamo cercare una vera barella, e una coperta. Vado subito a chiamare il direttore.

– Ehi, ragazzina, – disse quello più grosso – non ti stare a preoccupare. Ci pensiamo noi a portarla in infermeria.

– Vuol dire al San Giorgio? So che lì hanno un servizio di Pronto Soccorso. Aspettate un secondo.

Corse attraverso la carne tritata e la pancetta verso una porta a specchio, e bussò con forza. "Fogli d'alluminio per alimenti," pensava "è con quelli che dobbiamo avvolgerla, mentre aspettiamo l'ambulanza."

Un uomo in grembiule marrone si affacciò sulla porta. – C'è stato un incidente – esclamò Joanna senza fiato. – Guardi, da quella parte. Una signora è caduta nel... – La voce le morì in gola. Dall'altra parte della corsia, le porte automatiche si erano aperte, e in direzione del parcheggio vide le sagome dei tre uomini col loro carretto. Si stavano dileguando giù per la collina.

– Mi scusi se l'ho disturbata – disse al direttore. – Mi sa che se ne sono andati.

– Scommetto che erano di nuovo quei maledetti fannulloni – disse lui. – Probabilmente ubriachi. La settimana scorsa, abbiamo beccato un furfantello, che sicuramente non aveva più di otto anni; teneva un pacco gigante di merendine farcite sotto il maglione, e quando lo abbiamo seguito, che tu ci creda o no, abbiamo trovato il padre che lo aspettava in un taxi; biscotti, piselli in scatola, un sacco di roba ammucchiata sul fondo dell'auto.

– Oh, be', – disse Joanna – penso che lei abbia ragione. Comunque, hanno detto che l'avrebbero portata loro in ospedale. – La tensione cominciava a farsi sentire, e dovette ricorrere al suo inalatore per l'asma. Recuperato il proprio carrello, evitò accuratamente il reparto dei prodotti naturali, mentre rifletteva fra sé che la donna non aveva mostrato un aspetto molto più pulito di quello dei suoi soccorritori.

La settimana successiva, per la spesa settimanale ci volle più tempo del solito, perché i suoi genitori avevano organizzato una grigliata per sabato. Lavoravano tutti e due, e di solito era Joanna che, alla fine, si occupava della lista della spesa. Aveva appena iniziato ad esaminare le salsicce, quando le parve di udire il cigolio del carretto, che avanzava per la corsia in cui si trovava lei. Lasciò cadere nel carrello un pacchetto di erbe aromatiche.

– Salve – disse. – Come sta la signora? Meglio?

L'omone grosso fece un ghigno, sporgendo le labbra macchiate e malferme. Una zaffata del suo alito investì Joanna.

– Ehi – disse. – L'abbiamo rimessa a nuovo. Il dottore è stato contento che ce l'abbiamo portata. – Si grattò la pancia. – Eh, un buon posticino, questo qua, vero? Merce fina, fresca. Noialtri veniamo regolare.

– Anch'io – replicò Joanna. – Be', adesso devo proseguire. – Si stava chiedendo come oltrepassarli, dal momento che il carretto ostruiva il passaggio.

– Un piacere far la tua conoscenza, signorina. Ci possiamo presentarci? Io sono Feliciandrea, il carretto è mio, e questo qui è l'amico mio, Talpa, un fulmine con una pala in mano, e qua ci sta il vecchio Cucchiaio; lui c'ha sacco e corda, è il meglio negli affari.

– Ah, capisco – fece Joanna. – Quindi voi siete operai del cantiere della nuova area pedonale? Credevo foste zingari. – Si augurò di non aver fatto una gaffe, ma Feliciandrea rispose con fierezza ed allegria:

– No davvero, ragazzina, nessuno di noi. Noialtri siamo Resurrezionisti!

– Oh – disse lei, pensando: "Oddio, un'altra di quelle folli sette religiose!" Poi proseguì: – Va bene. Io però adesso devo proprio andare... – Parlò con maggior fermezza, questa volta, spingendo il carrello verso di loro. I tre si fecero da parte per farla passare.

– Quanto sei bbona, signorina bella, – le disse dietro Feliciandrea – bella rotondetta come una pernice da spennare. Non è che ci dici come ti chiami?

– Joanna – rispose lei, stizzita. Non le sembrava proprio di essere rotondetta. Affrettandosi, girò l'angolo, poi diede un'occhiata all'indietro, ed ebbe l'istantanea impressione che quel Talpa si fosse chinato sul bancone della carne affumicata, reggendo in alto un badile.

Alla grigliata non era stato invitato nessun amico di Joanna. – E' una cosa per gente civile, questa – le aveva detto suo padre. – Sofisticata. Ma penso che tu sia grande abbastanza per dare una mano a portare in giro le cibarie e robe simili. Se fai la brava.

– Cameriera non pagata, vuoi dire – brontolò Joanna.

Alle otto in punto, quando il campanello cominciò a suonare, i suoi erano alle prese con la consueta discussione da grigliata...

MAMMA: Ci sarà un avvelenamento generale. Perché non l'hai acceso prima?

PAPA': Sai benissimo perché. Ho dovuto fare un salto fuori a prendere dei bitter.

MAMMA: Sì, fai sempre così tu, vero? Aspetti che manchino cinque minuti all'inizio per andare a farti un giro dei negozi aperti dopo le sette e mezza.

PAPA': Be', almeno io non mi faccio trovare ancora nel bagno, a cinque minuti dall'arrivo degli ospiti!

... e fu così che Joanna si ritrovò a dover aprire la porta, versare da bere, affettare il pane. Appena ci fu un attimo di calma, si prese una ciotola di salatini e, passando dalla finestra sul giardino, andò a sedersi nel prato. Sulla collina, il tramonto aveva assunto una calda sfumatura verde macchiata di rosa; dietro il supermercato, si erano raccolte alcune nuvolette a batuffolo. Si sentivano i corvi gracchiare nell'aria tersa. Gli ultimi raggi di sole infiammavano l'erba, tanto che le sue punte risaltavano come smeraldi contro il profilo del barbecue, che papà aveva costruito.

E che barbecue! Somigliava piuttosto ad un tempio azteco, con quella sua forma piramidale e i tre scalini che portavano alla "griglia sacrificale". Joanna guardò suo padre salire sull'ultimo gradino, con addosso il grembiule da cerimonia, su cui era stampato un busto femminile con biancheria intima di pizzo. Girando gli hamburger con una spatola nella mano sinistra, con l'altra teneva sollevato un bicchiere di vino, per dare più enfasi ad un discorso che stava facendo a Geoff Brundell.

Joanna si infilò tra gli invitati, che si stavano esibendo nel solito mare di chiacchiere da party, nel tentativo di carpirsi a vicenda informazioni sul rispettivo status sociale. Mettersi in mostra, ecco a cosa servono le feste degli adulti, concluse Joanna. Come si divertirebbero di più con un prestigiatore e un bel trampolino per fare i salti.

— Siamo stati in Thailandia l'estate scorsa — stava dicendo sopra la sua testa il signor Pritchard ai Ryecart.

— Salatini? — offrì lei.

— Grazie, Joanna. Sì, — e riprese — paesaggi da favola, assolutamente incontaminati. Sapete, troppo lontano per il turista medio. E voi?

— Volo a vela — gli strombazzò Jane Ryecart. — Non credo che tu l'abbia mai provato.

— *Noi* siamo andati in Portogallo — intervenne Joanna, ma nessuno la stette ad ascoltare, e così si diresse verso il fondo del giardino e si sedette sull'altalena a finire le patatine.

I corvi si lanciavano nel cielo, volteggiando come foglie di tè nel tramonto, intorno alla torre dell'orologio del supermercato; mentre Joanna dondolava sognante avanti e indietro, fissando i corvi, il sole tramontò.

— Pssst! Signorì!

Veniva dal cancello sul retro. Si guardò attorno riluttante. Non c'era alcun dubbio, appostati dietro la siepe, stavano le sagome sinistre di Feliciandrea, Talpa e Cucchiaio. C'erano anche il carretto con la corda e il sacco, che sembravano quei buffi oggetti usati dai genitori per travestirsi nelle gare a cui prendono parte durante le feste di fine anno scolastico.

Feliciandrea le faceva dei cenni con le mani nodose che, nonostante si fosse di luglio, calzavano due guanti di lana senza dita. Joanna si avvicinò al cancello, stringendo gli occhi per ripararsi dal riflesso dell'ultimo sole.

– Mi dispiace – disse. – Non siamo per niente religiosi in questa casa. Io non sono nemmeno battezzata. "L'ultima cosa di cui si ha bisogno durante una festa," pensò "è avere alla porta degli invadentissimi Testimoni di Geova."

I tre la ignorarono. Sembravano molto eccitati e guardavano con grande interesse in direzione del barbecue. Feliciandrea la chiamò di nuovo col dito ad uncino, e le sussurrò dietro una mano:

– Sono puliti?

– Cosa? – chiese Joanna.

– Hanno la sifilide? O qualche epidemia?

– Be', – soggiunse piano Joanna – se è la qualità del cibo che vi preoccupa, abbiamo salsicce... e cosce di pollo, e salame stagionato; un po' di lingua affumicata...

– Lingua! Eh, le lingue! – esclamarono tra loro i tre compari. – Ancora attaccate alle mascelle? – domandarono.

– Scusate, – disse Joanna con decisione – ma non

78

ho idea di cosa stiate parlando. Penso sia meglio che andiate via.

– I molari valgono un bel po' di spiccioli. Potresti almeno metterci da parte una mascella o due, signorinella bella. – Cucchiaio reclinò il capo con fare accattivante, tentò un sorriso seducente, e si chinò verso di lei attraverso il cancello. Mandava una puzza che sembrava in putrefazione, e un nugolo di mosche gli volava tormentosamente attorno al cappello. Joanna si ritrovò a fissarlo negli occhi, e vi scorse dentro il minuscolo riflesso della propria immagine, nera e fluttuante, contro le fiamme che danzavano sullo specchio ricurvo ed appannato della cornea. Fiamme? Si voltò terrorizzata, e vide quello che anche i Resurrezionisti stavano guardando...

Niente più giardino. Niente più casa, e niente più proprietà; solo fuoco e fiamme che risalivano la collina. Sulla cima un affioramento di rocce, un'accozzaglia di alberi contro la luna. Ed anche una forca, da cui penzolava un pugno di cadaveri. Alcuni erano imprigionati in gabbie di ferro, che fungevano da sostegno per i corvi, i quali vi si appollaiavano sopra arruffando pigramente le ali. E di fronte a lei troneggiava un falò. Ombre oscure si affannavano ad alimentarlo con movimenti ritmati, buttando cadaveri sulla catasta sempre più alta. Appena il calore faceva contrarre loro i muscoli, i corpi si contorcevano, poi di tanto in tanto si sentivano degli schiocchi, come se le carni esplodessero. Una donna rotolò giù dalla cima della catasta, e venne a fermarsi ai piedi di Joanna in uno sballonzolìo di braccia e gambe inerti. Un cerchio di fiamme le bordava il viso, come una illustrazione medievale del sole, e il fuoco illuminava gli occhi sfolgoranti e la lingua tumefatta che penzolava dalla bocca.

– Solo questo corpo, la dolce Jo... la nostra piccola Anna?

La ragazzina sentì che un grido le invadeva la gola, ma non uscì alcun suono. Annaspò perché le mancava l'aria, ansimando, e si tastò le tasche in cerca del suo inalatore, ma si rese conto di averlo lasciato in casa. Se c'era ancora la casa, da qualche parte.

– Non stai bene? – udì venire dall'oscurità sempre più profonda. Cadde in ginocchio.

Sdraiata con la schiena a terra, lottava per riprendersi il respiro.

– E' un attacco d'asma! – udì esclamare. – Presto. C'è qualcuno abbastanza sobrio per guidare?

In quello stato di nausea, si rese comunque conto dell'avvicinarsi di una sirena, di essere sistemata su una lettiga dentro l'ambulanza, di avere una mascherina di plastica schiacciata sulla faccia. Aprì gli occhi e vide fluttuare intorno a sé i vetri oscurati. C'era un poster di Bart Simpson sul soffitto dell'ambulanza, e la sua faccia giallognola la guardava da là sopra con un sogghigno; poi si ricordò dell'incendio, e tentò di togliersi la mascherina.

– Tenetela ferma! – ordinò una voce. – Ha un attacco di panico. Forse, un rilassante muscolare...

Si sentì pungere un braccio, e fu riavvolta dall'oscurità.

Quando Joanna riprese coscienza, pensò inizialmente di essere morta. Era tutta coperta di bianco, freddo e liscio; poi, sentì la voce di Talpa.

– Vale bene tre ghinee!

Una voce dotta replicò: – Per una semplice bambina? Sai benissimo che la tariffa è di sei scellini per il primo piede, e poi nove centesimi per ogni centimetro. Così fanno... due ghinee tutto compreso, secondo i miei calcoli.

Cucchiaio, almeno sembrava lui dalla voce, implorò con tono suadente. – Ma dottore, mi senti a me, è fresca come una rosella di maggio, basta guardarci la faccia. Questa non c'è mai stata sotto terra, dottore, c'ha due guance che paiono mele.

– Sparite, canaglie, prima che vi chieda come ve la siete procurata. Due sterline e dieci scellini è la mia ultima offerta. Ecco qua. Smammate!

La voce si era fatta sempre più imperiosa ed autoritaria. Joanna pensò che era la voce di quel genere di persone che sistemano tutto per il meglio. Un medico. Presto, le avrebbe spiegato tutto l'accaduto.

– Avanti, signori, – stava dicendo con quella sua voce rassicurante – procediamo. Oggi, isolerò i grandi vasi della cavità toracica dal setto trasverso, incidendo i nervi frenici, e li collegherò attraverso la valvola tricuspide alle corde tendinee.

Un'ombra fluttuò sul candore in cui era avvolta, e due mani tirarono giù il lenzuolo. Joanna si sentì percorrere da una sensazione di freddo sulla pelle nuda. Teneva gli occhi fissi su due file di giovanotti nerovestiti, che si chinavano su di lei con estrema attenzione.

– Amici miei, – proseguì il medico in tono entusiastico – quei mascalzoni avevano ragione. E' una perla di esemplare, questa.

Joanna si contrasse per muoversi, urlare, ma i muscoli non le rispondevano. Una faccia incorniciata da basette si curvò tutta intenta sopra di lei, con la luce che gli guizzava sui tratti duri e tra i riccioli lucenti. Gli occhi erano protetti da un paio di occhialetti rotondi, le labbra contratte per la concentrazione. Per un istante, vide balenare nell'aria un bisturi; un attimo dopo, con estrema precisione, le aveva già squartato il torace.

Nota dell'Autrice: nei tempi passati, gli studenti di medicina esercitavano le proprie tecniche su corpi che venivano loro procurati da appositi ladri, che sottraevano i cadaveri dai cimiteri. Costoro venivano chiamati "insaccatori" o "resurrezionisti".

IN FORMA SMAGLIANTE

Kate e Christine stavano cercando un libro per il compleanno della mamma. Era stata lei a chiederlo, e loro avevano girato diverse librerie senza trovarlo. Quando ebbero chiesto per l'ennesima volta: "Scusi, avete *La battaglia femminile contro l'oppressione*?", cominciarono ad averne abbastanza, e si misero a pensare dei titoli più divertenti da chiedere. Ad esempio, *Neanche un libro*. "Che cosa? Vi chiamate libreria e non avete *Neanche un libro?*"

– Quando sarò grande, – disse Chris – scriverò un romanzo su una dinastia, una storia di tragedie devastanti, ricca di turbolenze politiche e di passione. Si chiamerà *Un cadavere raccapricciante con le pustole color porpora*. Piccole vecchie signore in tutto il paese si precipiteranno dai loro librai di fiducia e chiederanno con aria di sfida: "Mi dica, giovanotto, avete *Un cadavere raccapricciante con le pustole color porpora*?"

– Non ci farà neanche caso – osservò Kate. – Dopo tutto, non deve essere così facile far perdere le staffe a uno a cui chiedono in continuazione se ha i libri di Winnie Pooh, o il libro tridimensionale dell'Orso Paddington.

Stavano per tornare a casa, quando Kate adocchiò uno stendardo tra le colonne del municipio. "Fiera del Libro" c'era scritto. "Solo per oggi." Salirono i gradini e seguirono la folla, che si dirigeva verso una stanza piena di stand, come un mercato, con una tale quantità di libri che non ne avevano mai visti tanti tutti assieme.

– Sono vecchi, – borbottò Chris – e non sono sistemati in ordine alfabetico. Come si fa a trovare qualcosa?

Ne prese uno in mano e lo sfogliò rapidamente. La copertina era sporca, ma le illustrazioni all'interno, coperte da carta velina, erano sbalorditive.

– Devo averlo, questo qua! – esclamò. – Quanto costa?

L'uomo guardò sul retro della copertina. – 350 sterline.

– Oh!

– Guarda nella scatola di cartone. Prova a vedere se c'è qualcosa che ti piace. Costano 50 centesimi l'uno.

Chris infilò la testa sotto il tavolo e cominciò a rovistare a casaccio in quello scompiglio di libri. Ad alcuni mancava la copertina, altri avevano tante ditate e macchie sospette che avrebbero fatto la felicità di un investigatore. C'era un libro di H.K.Klingerstorff, *Judo! Con illustrazioni*, ad esempio; uno di Sculz-Kamphenkel, *La Storia dei Funghi*, e *Il moderno ab-*

battimento dei maiali con la lancia di A.E.Wardrop.
Ma in fondo, sotto *Un anno insieme ai picchi*, le capitò tra le mani un... volume: è l'unico termine adatto a definirlo. La copertina era di pelle lavorata, le pagine grosse e color crema. Era intitolato *La pollastrella nera*.

– Sicuro che costa solo 50 centesimi? – chiese.

– Va bene, piccola. Per te facciamo una sterlina. Oppure, se proprio vogliamo tirare al ribasso, una e cinquanta.

– No, no. 50 centesimi vanno più che bene. Grazie mille.

Le infilò il libro in un sacchetto di carta marrone, e uscirono.

– Cosa se ne fa la mamma di un libro che parla di galline? – obiettò Kate, mentre facevano la fila per l'autobus.

– Non importa di cosa parla. E' il libro più bello che abbia mai visto. Deve avere centinaia d'anni.

Salirono sull'autobus dal di dietro e si avviarono barcollando verso la parte anteriore. Chris non resistette alla tentazione di tirarlo fuori dal sacchetto. Soffiò via la polvere e girò la pagina del frontespizio.

– "La Gallina dalle Uova d'Oro" – lesse ad alta voce – inclusa la Scienza dei Talismani e degli Anelli Magici, l'Arte della Negromanzìa, per la Congiura degli Spiriti Celesti ed Infernali, di Silfidi, Ondine e Gnomi, utili per l'acquisizione delle Scienze Occulte e per la Scoperta di Tesori.

– Che paroloni! – osservò Kate. – E' scienza?

– Non capisci? E' magia. – Chris accarezzò la copertina, poi si portò il libro vicino al viso e l'annusò. – Potere, ecco di cosa parla. Potere e denaro. – Si rimise a girare le pagine.

– Vuoi dire magia nera? Quella che serve per mettersi in contatto col diavolo?

– Esatto. Alla mamma regaleremo dei fiori.

Kate si chinò di lato per leggere. – E' una cosa cattiva! – esclamò. Lo strappò di mano a sua sorella, e un secondo più tardi lo stava infilando nella fessura del finestrino aperto. Chris le tirò indietro il braccio, ma era troppo tardi: il libro rimbalzò in mezzo alla strada e rimase là, con le pagine tutte stropicciate. Chris imprecò, si slanciò lungo l'autobus e scese precipitosamente gli scalini. L'autobus si stava già muovendo quando lei fece il salto, e così cascò con le mani in avanti. Molte facce si voltarono a guardarla, mentre strisciava nel canaletto di scolo, annaspando tra barattoli e bucce d'arancia per salvare il libro, mentre l'autobus girava l'angolo.

– Sssst! Mettiti su qualcosa. Andiamo al parco-giochi.

– Sono ancora addormentata – mormorò Kate.

– Se fai come ti dico, tornerai a dormire prestissimo. E' una festa di mezzanotte. – Chris le tirò una tuta da ginnastica.

– Sei pazza! – Sbadigliò, guardando l'orologio. – Non so perché ti do retta.

– Perché sei un'ameba, – disse Chris – e nella tua vita non succede mai nulla di interessante, se non ci penso io.

Scivolarono fuori per la porta principale e corsero lungo le tre strade che le separavano dal bosco. Ogni volta che le chiome degli alberi si agitavano nell'oscurità, le foglie stridevano sopra le loro teste. Chris tirò fuori la torcia dallo zainetto, e seguirono il fascio di luce lungo il sentiero.

Nella radura solitaria, il parco-giochi sembrava incantato; la luna faceva scintillare le catene dei dondoli e dava una sfumatura argentea allo scivolo, alle giostre e alle altalene come se fosse Natale. Kate lanciò un grido e corse su per lo scivolo.

– Non fare la bambina. Abbiamo cose serie di cui occuparci – la richiamò Chris.

– Hai portato cose buone da mangiare? – Kate scivolò all'indietro.

– No. Non c'è nulla da mangiare. – Chris tirò fuori il libro dallo zaino. – Prova ogni tanto a pensare a qualcosa che non sia il tuo stomaco.

Le pagine scintillavano sotto le sue dita: non c'era neanche bisogno della torcia. – Siamo qui per cercare di trovare il desiderio del nostro cuore. Vieni a vedere. Non c'è ragione di aver paura, in fondo non è altro che un libro di ricette. Qui c'è un incantesimo divertente: "Come fare apparire tre signore o tre signori nella propria stanza dopo cena".

Kate alzò lo sguardo. – Che bizzarro! – disse. – Perché mai qualcuno dovrebbe farlo?

Si chinarono di nuovo sul libro, con le spalle che si toccavano.

– Per quel che riesco a capire, – soggiunse alla fine – sono tutte stupidaggini. Ad esempio, per diventare invisibile devi alzarti un mercoledì prima dell'alba e prendere sette fagioli neri, tre candele e un cucchiaio. Potrebbe anche essere, però la cosa mi lascia molto scettica. Ma poi c'è da "prendere la testa di un uomo morto e spruzzarla con brandy di ottima qualità".

– Qual è il problema? Trovare il brandy?

– Voglio dire, tutte le "ricette" iniziano sensatamente, poi c'è sempre un ingrediente impossibile. E questo si spiega col fatto che loro sanno benissimo che non funzioneranno mai.

– Forse hai ragione. Guarda questa: "Trovate un bambino di nove anni, ben vestito ed educato." Penso comunque che varrebbe la pena di provarne una; e questo è il posto ideale per un pentacolo.

Chris trovò una paletta di plastica e tracciò due strani triangoli sulla sabbia contenuta nella vasca dove giocano i bambini.

– Per favore, non farlo – la pregò Kate. – Cosa direbbe la mamma?

– Chiudi il becco e cerca di renderti utile. Togli di mezzo quegli incarti di gelato.

Il vento si stava alzando, le altalene tintinnavano, oscillando contro i sostegni di ferro, la giostra cigolava sul grosso perno di metallo.

– So a cosa miri, vuoi un incontro ravvicinato – borbottò Kate. – Come farà, comunque, il diavolo a distinguere quell'affare, se ci sono le tue impronte dappertutto lì attorno?

Kate guardò sua sorella camminare fino al centro del pentacolo e sollevare il libro, rivolgendosi alla luna.

– O spirito, – pronunciò Chris ad alta voce – io ti scongiuro per l'Aria, l'Acqua e il Fuoco, e per il loro potere che sovrasta tutti gli elementi, che fa muovere la terra... – qui la voce squillò – ... e tremare e fondere insieme tutte le creature del Cielo, della Terra e degli

Inferi; mostrati a me e parlami. – Levò alte le braccia. – Vieni, perché indugi? Christine Kunz te lo ordina.

Udì confusamente la voce di Kate: – Patetico! Una ragazzina in tuta da ginnastica che blatera da sola in un parco-giochi! – Chris aprì gli occhi e vide la faccia spaventata di sua sorella, che sembrava quella di un furetto nella fredda luce lunare.

– Io me ne vado, che tu venga o no – le gridò Kate.

"E' invidiosa del potere della mia immaginazione" pensò Chris "è sempre stato così." Quando sentì richiudersi il cancello del parco, scacciò Kate dai suoi pensieri.

– Io ti invoco, ti scongiuro e ti ordino, o Spirito, di comparire e di renderti visibile davanti a questo cerchio, in misurata e piacevole forma, senza deformità o artificio.

Il libro cominciò a tremarle fra le mani, ma lei proseguì impavida. – Ti comando, per il mare di vetro, per le quattro bestie con gli occhi davanti e didietro, fa' secondo il mio desiderio!

Sopra la sua testa le foglie sussurravano, scomponendosi e riformandosi sullo sfondo di una chiazza di cielo, che appariva rattrappita in un turbinio di nubi. Sentì un filo di saliva colarle giù dalla bocca aperta, e se la spazzò via. Il parco-giochi si saldava col cielo, fondendosi con esso in un moto estatico; erano creature vive, e lei era parte di loro.

Poi, infine, il vento gemette: – Ecco, sono qui! Cosa desideri da me? Perché osi turbare il mio riposo? Dammi risposta.

Contro la pallida nube, lo scivolo si mostrava soltanto nel suo profilo spigoloso, ma Chris scorse qualcosa che si materializzava in cima alla scaletta, sulla piattaforma, e che pulsava tra le sbarre. Si schermò gli occhi con la mano.

– E' mia propria intenzione di contrarre un vincolo tra noi, così che io possa ottenere ricchezza e genio di fronte a te.

Una raffica di vento sferzò l'asfalto, sollevando sabbia e facendo rotolare via un bicchiere di carta.

– Un dono solo, e uno soltanto, – sibilò la cosa – e in cambio tu sarai mia tra cinquanta anni, e farai ciò che a me piace, corpo e anima.

Il cuore di Chris sobbalzò dolorosamente, con un doppio battito di terrore.

Tirò fuori dallo zainetto un quaderno e una biro; inclinando il foglio verso la luce, stilò un contratto e strappò la pagina. Qualcosa scese giù per lo scivolo.

Approdò a terra un giovane, che indossava una giacca di pelle piena di borchie e catene, tanto da sembrare un pezzo dell'arredo del parco-giochi, una fulgida appendice del luccichio circostante. Estrasse un coltellino dalla tasca e tirò fuori la lama coi denti. Lei lo osservò mentre lo lanciava in aria; la lama tracciò tre cerchi luminosi prima di precipitare sulla giostra, dove restò conficcata vibrando sul piano di legno.

Chris si avvicinò e la estrasse. Accovacciata nell'ombra del giovane sopra la giostra, tra due delle sbarre di sostegno, sollevò la lama sopra la propria mano. Un attimo dopo, avvicinata la lama alla pelle, osservò le gocce di sangue, prima allineate, poi mentre colavano nerastre sul bianco avvallamento del suo palmo. Intinse la punta del coltellino e scarabocchiò con questo inchiostro diabolico sul pezzo di carta. Il ragazzo si appoggiava alle due sbarre della giostra, in modo da racchiudere lei in un triangolo senza uscita. Aveva il viso in ombra; Chris riuscì solo a notare che le guance gli si inarcavano in un sogghigno, mentre cominciava a spingere la giostra, sempre più forte, sempre più veloce, tanto che i capelli le si spiaccicavano sul viso, in bocca, mentre gli alberi, una panchina, il cancello, il gazebo le turbinavano intorno, ogni volta uguali, ancora, ancora, e il foglietto veniva risucchiato da un mulinello di vento...

La giostra continuò a girare, girare, finché alla fine si fermò, immobile: era rimasta sola.

Chris stava seduta in una libreria. Sul tavolo di fronte a lei si ergeva una pila di volumi con scintillanti copertine patinate, e fortunatamente l'altezza della pila era proporzionata alla lunghezza della fila. Era una pila alta, perché i romanzi di Chris erano tutti grossi come quelli di Dickens. O come due mattoni, avrebbe potuto ironizzare Kate, sebbene ora fosse agente e manager di sua sorella.

– Sorridi! – sussurrò in un orecchio a Chris. – Fai almeno un piccolo sforzo per avere un aspetto gentile.

"Kate non è mai riuscita a capire che è il talento che conta per vendere, non il fascino" pensò Chris. Buttando giù l'ennesimo autografo, ne ammirò la linea aerodinamica; la firma di Kate, rifletté, era molto più rigida ed antiquata, con quella specie di svolazzo davanti alla prima lettera.

– Grazie, vi ringrazio di cuore – disse, rivolta al pubblico. – Spero davvero che possiate apprezzarlo. –

Ma un'altra mano fece scivolare ancora un volume sul tavolo. Lei sollevò il risvolto e vide un foglietto di carta a righe.

"Io, Christine Patricia Kunz, acconsento a vendere la mia anima al latore della presente, in cambio della realizzazione del mio più profondo desiderio."

Quelle lettere arrotondate avevano una semplicità, un'innocenza di cui non avrebbe mai sospettato l'esistenza. La firma nera in fondo era talmente sbiadita da non essere più leggibile. In un batter d'occhio, il foglio era scomparso.

– Salve, Madame Chris! – disse un giovanotto, rivolgendole un sorriso. – Mi pare che ci siamo già incontrati prima d'ora.

– Oh, non mi stupirei – disse lei impugnando la penna. – Durante i miei viaggi incontro così tanta gente. – E, con un falso sorriso, soggiunse: – Inoltre, come vede, ci sono un sacco di persone dietro di lei, che aspettano il loro turno, quindi è tempo di salutarci. – In quegli occhi c'era qualcosa di inquietante.

– *Au revoir*, allora. – Le strizzò l'occhio, e scomparve tra la folla.

Chris cominciò a tremare e a sentire una leggera nausea. – Kate, – sussurrò – ne ho avuto abbastanza per oggi. Chiama la macchina.

– Ma dovresti fare almeno un'altra oretta di firme!

– Compreranno il libro lo stesso, vedrai. E poi, non credo che sia giusto che ci si approfitti del mio buon carattere.

Scorgendo la nera carrozzeria dell'automobile attraverso la vetrina, Chris si alzò. La folla degli ammiratori si ritrasse ai lati, lasciandole un varco per passare. – Sono veramente dispiaciuta, ma sono attesa ad una prima.

Kate tenne la porta aperta, mentre la sorella usciva con passo elegante. – Uscire con stile, – le aveva detto spesso – è importante tanto quanto entrare. Ciò che importa davvero sono la cura dei dettagli e il portamento.

L'autista tenne aperto lo sportello, mentre Chris si accomodava sul sedile posteriore, tirando su le gambe. Al di là della vetrina vide Kate, rossa in viso e tutta scarmigliata. La sua manager le stava facendo dei segni con le braccia.

– Al Plaza – disse Chris all'autista con aria rilassata. – C'è la prima di un film stasera, e il Plaza non è solo il miglior hotel di Londra, ma si trova anche a due passi dal cinema, così potrò sistemarmi e arrivare là in forma smagliante. Lei è nuovo, vero? – Visto da dietro, aveva una testa poco familiare. "Quando si è famosi," pensò "non si riesce a tenere a mente tutto il personale, perché, be', uno tende ad evitare di incontrare lo sguardo altrui, anzi, a dire il vero, non solo lo sguardo."

Egli scalò una marcia e si voltò, tanto che nello specchietto si vide riflesso solo il berretto con la visiera; aveva gli occhi color oro.

– Avanti, ragazzina cresciutella, non puoi dire di non conoscermi. Ti ho scarrozzato in giro per tutti questi anni.

Anche se l'auto era in movimento, Chris si aggrappò alla maniglia della portiera. Era bloccata. Fuori da quella bolla ermeticamente sigillata, la gente fluiva grigia e silenziosa.

– Arriveremo in un batter d'occhio – disse l'autista. Quando l'automobile si fermò, egli balzò fuori per aprirle lo sportello.

– Mi rivolgerò alla compagnia di autonoleggio – disse Chris. – Lei è un giovanotto davvero insolente.

Salì impettita gli scalini dell'hotel senza dargli una lira di mancia. Rifiutava di farsi intimorire da un frutto della propria immaginazione.

– 'sera, signora – le disse il portiere, ma Chris non si preoccupò neppure di rispondergli, e si diresse verso l'ascensore. Premette il bottone e attese che quell'appariscente scatolone di metallo approdasse al piano terra. Stavano suonando la canzone "Moon River". L'addetto aprì il cancello a soffietto, e lei entrò nella cabina.

– A che piano, signora?

– Ventesimo – gli disse. – La suite dell'attico.

Osservò il tappeto - color borgogna, con un motivo a losanghe - e fece caso all'uniforme verde del ragazzo: pantaloni increspati con una striscia di raso sui lati, da cui spuntava un paio di zoccoli decorati. Lentamente alzò lo sguardo. Aveva gli occhi color oro, con fessure nere al posto delle pupille.

Chris barcollò attraverso la cabina e si appoggiò ad un bottone.

– Il suo momento non è ancora arrivato, signora – disse quello ma, mentre l'ascensore si arrestava con un gran scossone ad un piano imprecisato, Chris aveva già aperto le porte. Corse lungo il corridoio, coi piedi che sfioravano appena la moquette. Giunta alle scale, si voltò a guardare lungo la prospettiva di porte appena oltrepassate e vide la testa del ragazzo che la guardava dall'ascensore.

Chris si tolse le scarpe e corse su per le scale. I sottili tacchi rossi sbattevano l'uno contro l'altro al ritmo del suo respiro affannato.

Sedicesimo piano. Estintore. Diciassettesimo piano. Estintore. Ad ogni pianerottolo, identico corridoio, un'infinità di porte serrate ed un tavolo addossato alla parete, con sopra una composizione floreale e uno specchio. Appena giunta all'ultimo piano, si ficcò le scarpe sotto un braccio per mettersi all'affannosa ricerca della chiave. Finalmente, aprì la porta e se la richiuse di colpo alle spalle. C'era un'aria soffocante e sentiva il trucco colarle giù per il viso. Le tende erano chiuse, le lenzuola tirate giù, con due cioccolatini alla menta posati sul cuscino.

Chris si appoggiò alle tende per aprire i vetri, ma le unghie posticce le rimasero impigliate in un filo del tessuto, che era stato fissato sopra la finestra in modo da bloccarla dall'interno. Afferrò la tenda strappandola, ma non riuscì ad aprire la finestra, così decise di chiamare il centralino.

– Non avete uno straccio di aria condizionata, in questo buco maledetto? Sa cosa le dico? Questa è l'ultima volta che soggiorno qui. Mi mandi su un gin forte. No, faccia una bottiglia. E anche un po' di salmone affumicato.

Si spalmò sul viso una maschera untuosa e si montò i bigodini, tentando di rimettersi in sesto per la serata. Forse, c'era giusto il tempo per fare una telefonata al suo psicoterapista ... "non che io sia mentalmente instabile," era solita dire a se stessa "niente affatto. E' solo che con l'intensità delle mie giornate, be', ho proprio bisogno di qualcuno con cui parlare."

– Servizio in camera.

Andò ad aprire la porta, e il ragazzo spinse dentro un carrello. C'era una grossa ciotola di macedonia di frutta e una bottiglia di champagne nel secchiello del ghiaccio.

– Coi complimenti della direzione, e con molte scuse per qualsiasi inconveniente – disse, infilandosi la bottiglia tra le ginocchia e spingendo coi pollici sul tappo. Chinandosi, fece cadere il berretto che aveva in testa e, annidate tra i capelli ricciuti, Chris vide un paio di corna nodose. Il tappo saltò, e il ragazzo versò un bicchiere per lei e uno per sé.

– Penso che dobbiamo proprio festeggiare – disse.

Chris retrocesse di qualche passo verso il letto. Si sentiva i nervi a fior di pelle, ma sapeva anche che le sue pillole erano in bagno. Un dolore acutissimo al polso le risalì lungo il braccio, estendendosi fino al petto.

– Che impertinente! – disse, quasi in un gemito. – Esca subito di qua!

– Prova a metterla così – le rispose quello. – Se trovi tutte le mattine una bottiglia di latte fuori dalla porta, non dovresti meravigliarti tanto quando il lattaio arriva con il conto.

Teneva in mano quel foglietto sdrucito di carta a righe, e Chris riuscì a leggere sul retro una lista di verbi francesi. Si alzò di scatto e cercò di afferrarlo: un contratto strappato è nullo e senza alcun valore. Lui, sottraendolo alla sua presa, fece una risata sinistra.

Il dolore le strinse il cuore in una morsa, come pugnalate ritmiche che le facevano venire la nausea, tanto che si ritrovò a vomitare dentro il cestello del ghiaccio. Si pulì la bocca col tovagliolo, sbavandosi tutto il rossetto, poi si slanciò su di lui e su quell'ossessionante pezzo di carta che teneva a penzoloni tra pollice ed indice.

Questa volta il dolore le trafisse il cuore in profondità, torcendolo come a volerne strizzare l'ultima stilla di sangue. Cadde riversa sul pavimento. Nelle orecchie aveva un battito frastornante, e la stanza le si deformava intorno come attraverso una boccia d'acqua per i pesci rossi. Si sentì di nuovo la nausea, e vomitò sul tappeto; poi, centimetro dopo centimetro, strisciò in mezzo a quel sudiciume fino al ragazzo, che si era inginocchiato e le dondolava davanti agli occhi il contratto.

– Che donna stupida e superstiziosa sei! – la stuzzicò.

– Be', eccoti qui. Sei venuto a prenderti la mia anima?

– *"Alterius non sit qui suus esse potest"* è il mio motto. "Fa' di te stesso ciò che vuoi." E' quello che hai fatto tu. Quelle biografie taglienti e i best-seller zuccherosi ti hanno reso una delle donne più ricche del mondo. Non importa quante carriere hai rovinato, la famiglia che hai completamente trascurato. Quelle azioni di beneficenza per bambini che ti hanno fornito non solo pubblicità, ma anche una bella villa a Nizza...

– Avevamo bisogno di un ufficio – tentò di replicare lei con tono lamentoso.

– ... i ricatti che usavi per farti aprire ogni porta e per conquistare influenza politica... devo davvero congratularmi con te. Una diligentissima lavoratrice alle dipendenze di Satana; infatti, il tuo conto è stato saldato. Non è rimasta neppure una minima traccia di virtù nella tua anima. Questa è la sua ricevuta, signora.

Fece a pezzetti il foglio di carta e glieli lasciò cadere sulla testa. Chris li sentì fermarsi tra i bigodini e appiccicarsi sulla faccia unta di crema.

– Chi sei? – gemette.

– Visto lo stato in cui ti ritrovi il cuore, – rispose lui – probabilmente una allucinazione causata dal restringimento dei vasi che portano il sangue al cervello. Oppure la tua coscienza. Che differenza fa?

– Per favore, se ne vada. Sono attesa alla prima di un film. E' la mia prima sceneggiatura. Sono già in ritardo. – Vide il carrello con le ruote argentate e, vincendo il dolore, vi si attaccò per alzarsi. Rimase un attimo in piedi, appoggiandosi ad esso come ad un girello, la vista annebbiata... forse aveva solo perduto una lente a contatto. Le tende color malva a fiori rosa parvero attorcigliarsi, come prese in un mulinello d'aria attorno alla coperta del letto. Il giovane saltò sul letto e sembrò nuotare nel vortice. Le parve di vedere che gli arti gli si rattrappivano, mentre il tronco gli esplodeva tra i cuscini in una informe fanghiglia di carne pelosa. Una mano artigliata scartò i cioccolatini alla menta, che furono immediatamente inghiottiti.

– Kate – chiamò Chris. – Mamma. Non mi sento molto bene.

Il cuore le si gonfiò come una piovra, con tentacoli di agonia che le si insinuavano nelle vene. Appoggiandosi di peso al carrello, sentì che le braccia si accartocciavano. Si ritrovò con la faccia dentro al vassoio del salmone affumicato, spiaccicata fra fette di ananas, kiwi e ciliege.

L'obbrobrio sopra il letto rideva, scrosci di derisio-
ne che rimbalzavano contro i muri della stanza
insonorizzata.

– O mia bellezza di frutta, – squittì – non lasciare
che ti trattenga, non deludere i tuoi fan.

Lei cercò di risollevarsi dal carrello ma, quando ebbe
tirato su la testa, si ritrovò naso a naso con un volto
così disumano che le parve impossibile che quei tratti
potessero esprimere tanta allegria. Svanì, e le tende si
gonfiarono, andandole incontro come braccia avvol-
genti; sentì il carrello scivolare, prendere velocità, dirigendosi verso la finestra.

Nell'impatto, mille schegge volarono luccicanti
nella notte e il freddo le schiaffeggiò le braccia, ag-
gredendole anche le guance. Il carrello oscillava mezzo dentro e mezzo fuori, in bilico sul davanzale.

Ed eccola, infine, là, sull'orlo dell'abisso, che guardava in giù. Molti erano i fuochi di quell'Inferno, con
le loro graticole che si incrociavano attraverso la cit-
tà oscura. Clacson che suonavano, sirene urlanti, e anche i dannati che fremevano lungo il rosso tappeto del
cinema, affrettandosi ad oltrepassare le pesanti tende
della sala, un lungo serpente arrossato dai riflettori televisivi.

Il carrello scivolò e lei lanciò un grido. Il metallo
fece ancora un po' di attrito, poi un'ultima oscillazio-
ne e Chris ruzzolò nel vuoto a capofitto, con la gonna
rivoltata di sotto in su come un ombrello nella bufera,
svolazzante come un paracadute sfondato, e lei non
riusciva a tenerla giù, mentre precipitava più veloce,
molto più veloce di quanto non sembri nei film, giù...

giù... senza riuscire a coprirsi le gambe... o a respirare...

Intravide volti magnifici levati in su con aria interrogativa, un attimo prima dell'impatto con la tettoia.

– Mi spiace – disse il libraio. – Perché non provi a dare un'occhiata tra quelli accatastati lì di fianco?

La ragazzina si mise a frugare tra *Migratori piumati delle Isole Britanniche* di Mudie, *La gente che conta nella pallacanestro* di Mendell e una pila di luridi tomi di una certa Chrystelle P. Kunz, finché incappò in uno splendido... be', volume è l'unico termine adatto.

SOLO IN CASA

Ho una fortuna sfacciata, me ne rendo conto. Vivere in questa strada da VIP. Con il nostro campo da tennis personale, e la piscina e tutto il resto. E' solo che, quando torno a casa da Eton, la mamma è a tuffarsi nelle acque profonde della Florida, papà è a Bruxelles, e qui c'è un po' troppa quiete a volte.

La ragazza alla pari non c'è mai, e comunque il mio norvegese non sta facendo grandi progressi. E' un quartiere di alta classe, questo, dove i vicini si fanno i fatti loro. L'unica volta che ne ho incontrato uno è stato quando una signora in camicia da notte è venuta a tempestare di colpi la nostra porta; si è scoperto poi che il marito la picchiava, ma stavano in un'ambasciata, e lui godeva dell'immunità diplomatica, così le ho offerto un caffè, poi è tornata a casa.

Comunque, il giorno in cui questa storia ha inizio, ero un cane sciolto, dal momento che Consuela non viene a fare le pulizie il martedì. Quando il campanello suonò, pensai che poteva essere forse la ragazza che veniva a cambiare le composizioni di fiori; corsi nello studio a controllare il videocitofono, e sullo schermo si vedeva un uomo con la barba e i capelli lunghi, un look biblico, direi.

– Chi è? – dissi al citofono.

– So' Gerry – disse. – Vengo sembre de marteddì mattina. La signora me dà sembre dieci sterline, regolare, tutti marteddì.

– Lavora con quelli di Avan-Giardino? – chiesi. – E' Ursula che vi dovrebbe dare i soldi. Tornerà verso le sette.

Spensi il videocitofono e tornai a giocare con il mio simulatore elettronico di Formula 1, ma il campanello riprese a suonare. Scesi al pian terreno e aprii la porta.

– So' Gerry – disse di nuovo. – Il mio assegno non è arrivato. Non ho niente pe' mangià, guarda. Manco da bere.

Adesso che lo vedevo bene - stringhe bisunte di capelli accordellati, stivali scalcagnati verde rospo - e lo annusavo da vicino, mi resi conto che era uno dei protetti di mia madre. E' una persona molto caritatevole, lei, sempre in giro per feste di beneficenza.

– Le va un panino? – gli chiesi. – Oppure, credo che ci siano dei vol-au-vent nel frigo.

– A dir il vero, c'ho sete più che fame. T'avanza qualcosa da bere?

– Be'... – tergiversai – potrei preparare una tazza di tè, suppongo. E' solo che la mamma è andata a fare tuff - ehm, è andata al supermercato. – (In effetti, noi ordiniamo la nostra spesa dal negozio di *delicatessen*, ma non volevo che sapesse che la mamma era via.)

– Te trovi qua tutto solo? Be', entrerò un pochetto, se me lo chiedi.

Prima che potessi rendermi conto, era entrato nell'ingresso. Gli feci strada verso il salotto, e lui si accomodò su un divanetto. "E' di pelle," mi dissi "Consuela riuscirà a ripulirlo."

– Bel posticino c'avete qui – stava dicendo, piegato di fianco per saggiare con pollice e indice la consistenza della seta. – Tessuto de qualità, queste tende. Io me n'intendo de bona qualità.

– Sono festoni – dissi – non tende. – Distogliendo lo sguardo dalle sue nocche grinzose, alcune con ferite rossastre, altre con cicatrici giallastre, mi avviai in cucina. Preparai una caraffa di vero caffè, la misi su un vassoio con un dolce e dei biscotti, e trasportai tutto in salotto. Sulla soglia, sentii una staffilata di incredulità al colpo d'occhio che mi stava di fronte: metri di moquette color pastello, un tavolino da tè di marmo, lampade a forma di statua, pareti dipinte di fresco, ogni singolo oggetto di arredamento studiato nei minimi dettagli; e lì, nel bel mezzo di un sofà rosa pallido di tre metri di lunghezza, sembrava che fosse appena stata rovesciata un'intera pattumiera. Ma sono stato abituato a non esprimere giudizi di valore su chi è meno fortunato di noi.

– Con latte e zucchero? – chiesi.

– *Irish coffe* – disse lui. – Nun sai come se fa? Nun te preoccupa', ho già trovato dove tenete le bottiglie.

Difatti, in mezzo agli stivali gli spuntava una bottiglia di whisky. Notai con un certo disagio che le sue tasche sembravano più voluminose di quando lo avevo lasciato. Egli girò il caffè, si infilò il cucchiaino in tasca, e addentò una fetta di dolce al cioccolato.

– Da dove viene? – chiesi gentilmente.

– E' 'na lunga storia, ragazzo. Roehampton, per cominciare. So' stato per un po' nell'edilizia, ma me piace de più la strada. Lì c'ho la libbertà, c'ho l'amici miei, e basta. Te potrei racconta' certe storie...

– Racconti, allora – lo incalzai.

Si versò un altro bicchiere e si mise a raccontare di poliziotti senza cervello, di lanci dal retro di camion in corsa, di una partita a carte in cui ci si giocava una signora.

– Ma è dura anche lì, che te credi? Un freddo certe notti, che te ce vole mezz'ora per capi' se stai ancora vivo... – Tossì senza ritegno, e si spazzò la barba con la manica. – Tempo de leva' le tende, amico. Se' un vero gentilomo. Grazie per 'ste cibarie.

Si alzò barcollando dalle mollezze del divano e si avviò alla porta con passo strascicato.

– Grazie per essere passato – gli dissi. – Mi sono divertito.

– Piacere mio – replicò lui. – Ah, a proposito de quella faccenda...

– Quale faccenda?

– Le dieci sterline che la signora me dà regolare. Se nun te disturba troppo... – Stese la mano verso di me.

Entrai nello studio e presi un po' di soldi dal cassetto della scrivania. Quando tornai, egli stava sullo scalino, oscillando da un piede all'altro, desideroso di andarsene.

– Grazie 'na mucchia – mi disse, infilandoseli nel taschino interno della giacca. – E che nome ha, 'sto bel signorino?

– Daniel.

– Se' 'n amico, Daniel. – Mi strinse calorosamente la mano. Lo guardai camminare di sghembo giù per il vialetto, poi chiusi la porta e andai nel bagno a ripulirmi le mani.

Il martedì successivo ero pronto a riceverlo, col biglietto da dieci sterline in una busta. Mi sembrava un modo un po' meno imbarazzante di fare l'elemosina. Avevo anche preparato un pranzetto al sacco, con una fetta di torta salata e qualche panino al formaggio. Mi chiedevo se fosse il caso di invitarlo di nuovo ad entrare, ma pensai che papà non sarebbe stato troppo felice di ritrovarsi con la sua collezione di tabacchiere d'argento depredata.

Quando suonò il campanello, corsi giù ad aprire la porta. Stava piovendo, e sui capelli gli si erano formate delle ragnatele di goccioline argentate. Dei rivoletti di pioggia gli tracciavano righe di pulito giù per il viso, per poi gocciolargli dal naso. Quei suoi tratti porosi e prominenti come funghi emanavano un umido vapore.

– Temo di non poterla invitare ad entrare oggi, – gli dissi – ma qui c'è il suo... regalo. – Gli misi tra le mani il pacchetto e la busta. Sembrava un grottesco dono di compleanno, con quella carta da pacchi argentata e il bigliettino d'accompagnamento. Strizzò gli occhi.

– E che, c'avemo er vescovo che viene in visita? Be', grazie lo stesso, piccolo lord Fauntleroy!

Allontanandosi con passo pesante giù per il vialetto, tirò fuori i soldi, gettò via la busta e lanciò il sacchetto col pranzo dentro la fontana. Io chiusi la porta e andai a lavarmi le mani. Ero, devo ammetterlo, piuttosto turbato. Forse avrei dovuto invitarlo di nuovo a bere un caffè. La mattinata si profilava lunga e cupa davanti a me, così andai nella camera da ginnastica per fare qualche salto sul trampolino.

All'ora di pranzo mi sedetti al tavolo di cucina per finire la torta salata avanzata, e stavo giusto infilando piatto, coltello e forchetta dentro la lavastoviglie quando suonò il campanello.

Vidi nel videocitofono che era di nuovo Gerry.

– Salve – gli dissi. – Che cosa desidera?

– So' Gerry – rispose. – Vengo sembre de marteddì. La signora me dà dieci sterline, regolare, tutti marteddì. – Trascinava le parole in modo strano.

– Lo so – dissi. – Gliele ho già date prima. Non si ricorda?

– Buggiardo. Me credevo che eri diverso, ma sei uguale a tutti quell'altri. Dar calci a un poveraccio che sta già a terra.

– Le ho dato dieci sterline. Stavano in una busta. E anche un bel pranzetto. Non si ricorda?

Borbottò qualcosa. Dall'ingresso sentii la porta tremare sotto colpi pesanti. Corsi a mettere il catenaccio. Avrei voluto allontanarmi dalla porta, che sussultava come se dovesse essere sfondata da un momento all'altro, ma ai suoi lati ci sono due finestre ed ero terrorizzato all'idea che mi potesse vedere. Mi buttai a terra e strisciai sul pavimento di legno, poi mi tirai su al riparo di una colonna. Se fossi riuscito a sgattaiolare da una colonna all'altra, avrei potuto raggiungere la cucina. Diedi un'occhiata e vidi un occhio iniettato di sangue che sbirciava dalla finestra a sinistra della porta d'ingresso, e ritrassi prontamente la testa. Presi fiato e sfrecciai alla colonna successiva. Si sentì un mugolio sugli scalini dell'ingresso.

– T'ho visto, piccolo, lurido bastardo. Mosse da ricco! Pensavi che nun te vedevo, con quelle orecchie rosse che te spuntano ai lati come al Principe Carlo?

Corsi in cucina e mi arrampicai sul mobile al centro della stanza, stringendo tra le mani il telefono. Feci il 113.

– Per favore, la polizia, – dissi – sbrigatevi!

– A che indirizzo?

– Residenza Elite, – bisbigliai – King's Avenue 19.

– Sì, so dov'è King's Avenue.

– Allora fate presto, per favore! C'è un uomo che sta tentando di entrare.

– Sì, so dov'è King's Avenue, e francamente non credo proprio che tu abiti lì. Siamo professionisti ben addestrati, sai, con abbastanza esperienza per riconoscere una chiamata fasulla quando ne arriva una. Quindi lascia libera la linea, o ti troverai nei pasticci.

– Ma...

– C'è altra gente che deve chiamare. Non farti più sentire, capito? – La comunicazione fu troncata. Notai in quel momento i fiori secchi che pendevano da un sostegno proprio a due centimetri dal mio naso, e feci uno starnuto. Quando riaprii gli occhi, vidi Gerry nel giardino che mi guardava attraverso la finestra di cucina. I nostri sguardi si incontrarono; lui provò a forzare la finestra. Aveva i doppi vetri. Scomparve, per riapparire un attimo dopo con una mazza da croquet, e con quella cominciò ad assestare colpi, facendola rimbalzare contro il vetro, che alla fine si ruppe. Poi, si arrampicò sul davanzale, ostacolando con la sua mole l'ingresso della luce. Io mi acquattai dietro al mobile, mentre lui cominciava ad infilarsi temerariamente tra i cocci e gli spuntoni di vetro; del sangue stillò sul nostro pavimento di marmo bianco, ma lui parve non accorgersene. Buffo com'era puro quel sangue, con quel rosso vivo e lucente. Mentre saltavo giù e mi catapultavo di nuovo verso l'ingresso, sentii la sua voce alle mie spalle.

– Oh, piccolo Danny – canterellava.

Tolsi il catenaccio dalla porta e corsi fuori, giù per gli scalini, di fronte alla fontana, lungo il vialetto, fino alla strada. In piedi sotto la pioggia, mi interrogai sul da farsi. Il problema di posti come King's Avenue è che si trovano a chilometri di distanza da qualsiasi altro luogo. La gente si sposta solo in macchina. Pensai di nascondermi da qualche parte nel prato pubblico, ma non mi è permesso andarci, perché è frequentato da gente poco raccomandabile.

Sentii una lacrima che mi pizzicava sul lato del naso, per poi rotolarmi in bocca. Allora mi riscossi e attraversai la strada. Il cancello della prima casa aveva un videocitofono.

– Scusi, – dissi – mi chiamo Daniel. Abito dall'altra parte della strada. Mi può aiutare, per favore?

Mi rispose una voce giapponese e il cancello restò chiuso, così mi rivolsi alla casa seguente. Questa volta, il suono del campanello fu accolto da un abbaiare minaccioso. Dopo mezz'ora, cominciavo a sentirmi intirizzito e scoraggiato, e tornai lentamente sui miei passi. "Senti un po', Daniel," dissi a me stesso "quello non è certamente in ottima forma, e tu sei cintura gialla di karate. E poi c'è la fiocina di papà nello studio. E comunque, se ne sarà andato, ormai."

La porta d'ingresso era chiusa, quindi scivolai furtivamente lungo i muri laterali, sbirciando attraverso le finestre.

Alla stanza degli attrezzi ginnici, mi venne un mezzo infarto; mentre mi affacciavo con cautela dal davanzale della finestra, la faccia emorroidale di Gerry scattò improvvisamente, come un pupazzo a molla da dentro una scatola, poi si abbassò per saltare di nuovo su, verso il soffitto. Aveva un'espressione radiosa. Quando ebbi ritrovato il mio sangue freddo, capii che stava saltando sul trampolino. E col completo bianco Armani di mio padre addosso! Che impudente!

Mi venne in mente il modo che ci insegnano a scuola per esercitare l'autorità con naturalezza, in modo da saper gestire le responsabilità richieste dal posto che occuperemo nella società, quando sarà il momento.

Entrai attraverso il garage e giunsi in cucina, con il vetro in frantumi che mi scricchiolava sotto le scarpe. Delle scie di sangue percorrevano gli ambienti della nostra ampia, e un tempo immacolata, dimora; ne ebbi lo stesso shock che deve avere provato Robinson Crusoe quando scoprì impronte umane sulla spiaggia della sua isola deserta. Quel sangue violava il mio territorio, ecco, serpeggiando sul marmo bianco, sul pavimento di legno, sul tappeto rosa del soggiorno fino alla stanza della ginnastica.

– Danny – risuonò la voce attraverso le stanze. – Sicuro che il tuo vecchio c'ha il meglio whisky? Sembra che nun c'incontriamo coi gusti.

Sentii un rutto e, gettando un'occhiata attraverso la porta, vidi che aveva sollevato il coperchio del pianoforte a coda e vi stava chinato sopra. Poi si drizzò e mi fece un ghigno.

– Nun ce sta niente de meglio per sentirsi su che fare un po' d'esercizio fisico. Ti rimette proprio in sesto, e così puoi continuare la festa.

– Non crede che sia ora di andare, adesso? – dissi.
– La festa è finita.

Venne barcollando verso di me e mi mise una mano su una spalla. – C'ho un nipote proprio come te – disse. Aveva le lacrime agli occhi. – Vive ad Eastbourne. Lui non caccerebbe mai via suo zio.

– Perché non lo va a trovare, allora? – gli chiesi.

– Potrei farlo, potrei proprio farlo, sì, benissimo, potrei proprio. Notti per strada, sotto le stelle. Caffè nelle aree di sosta, uova e patatine. Il mare davanti, con le onde che ci rotolano dentro. Chiocciole di mare. Tu vieni?

Mi posò un braccio intorno alle spalle. Era caldo e pesante, e profumava di Paco Rabanne. Rimanemmo lì a perdere tempo.

– Lei è pazzo! – gli dissi, sottraendomi al suo abbraccio. – E anche ubriaco. Fuori da casa mia!

– Va be' allora, Signorino Posso e Voglio! Se crede chissà che meraviglia, 'sto Milordo de generosità. Me ne vado, me ne vado, padrone de' miei stivali. Ma, come sta scritto sulla bottiglia, "Vai avanti tu"...

Afferrò il carrello delle bevande della terrazza e si slanciò di gran carriera attraverso la camera-palestra fino alla piscina.

– Si fermi immediatamente! – urlai io, correndogli

dietro. Si arrestò di botto, facendo oscillare le braccia in aria, e il carrello sfrecciò oltre il bordo piastrellato, direttamente dentro la piscina. La struttura di ferro lavorato sembrò deformarsi e allungarsi attraverso l'acqua azzurra, mentre i bicchieri da cocktail colavano sinuosamente a picco. C'erano diverse bottiglie che galleggiavano in superficie, fluttuando nel cerchio d'onda provocato dall'impatto del carrello, il Martini che tingeva di rosso l'azzurro dell'acqua clorata fece crescere in me la sensazione che un disastro inarrestabile si stava consumando.

– La prego, si fermi adesso! – implorai. – Mi dispiace di averla turbata.

– Vorrei fermarmi, davvero, vorrei... ma non riesco a resistere... solo uno... l'ultimo...

Cominciò a spingere il pianoforte a coda verso la piscina. "E chi lo sentirà adesso papà?" pensai. E' vero, nessuno di noi lo sa suonare, il pianoforte, ma è davvero bellissimo. E costa una fortuna. Mi piazzai sull'altro lato e cominciai a spingere in direzione opposta. Egli barcollò, instabile sulle gambe, poi contrasse le mascelle e, aggrottando le ciglia nello sforzo di concentrazione, si mise a spingere sempre più forte, facendomi arretrare sul pavimento di piastrelle. Mi voltai, tentando di appoggiarmi al pianoforte con tutto il mio peso, puntando i talloni, ma questi scivolarono sul bordo.

Cadevo - tutto azzurro intorno a me, dentro di me, cielo liquido, e un grosso peso che stava per rovesciarsi dall'alto sopra di me. Nuotai freneticamente, battendo le gambe per evitare l'impatto del piano. Riuscivo a vedere la sua ombra setosa che scivolava lungo il fondo della piscina. Mi trovavo come in un incubo, incapace di respirare, muovendomi al rallentatore. Il bordo del pianoforte toccò il fondo, appoggiandosi delicatamente sulla mia caviglia; me la schiacciò sulle piastrelle con la forza inesorabile di uno squalo che avesse richiuso le fauci. Sopra di me, la luce traballava, mentre alcune bottiglie verdi tintinnavano scontrandosi fra le onde. Muovevo le braccia come nel nuoto a rana, ma non serviva a niente. Dovevo respirare. Oltre il rosario di bollicine che mi scivolavano fuori dalle narici, riuscii a scorgere un viso fluttuante. Chiusi gli occhi e mi protesi verso la superficie.

Tutto si fece color porpora sotto le mie palpebre, e cominciai a sentirmi dentro le orecchie una specie di canto. Su tutto ciò, un tonfo ovattato, e qualcuno di fianco a me che mi strattonava il piede. Saltò fuori come un turacciolo di bottiglia, e io sfrecciai verso la superficie. Mi trovai a portata di mano il coperchio del pianoforte e, rantolando, mi abbarbicai al relitto. Dopo un minuto, mi issai a fatica su quello scafo ricurvo, e mi sfregai gli occhi irritati dal cloro.

Una sagoma con vestito bianco di Armani galleggiava lì a fianco, trasportata pigramente dall'acqua come un gabbiano in riposo, la faccia in giù, le braccia allargate. Restai seduto un po' a riposare, guardandola, con le mani a penzoloni tra le ginocchia.

Alla fine, mi immersi di nuovo nell'acqua e mi avviai con qualche bracciata verso l'asciutto.

RIVALI

L'anno scorso ci furono parecchie discussioni a proposito della gita di classe col prof di storia. Noi volevamo "La Distruzione di Pompei", ma l'assicurazione era troppo costosa, e dal momento che le migliori proposte storiche erano riservate a quelli con più di diciotto anni, finimmo per ripiegare sul "Tour delle Celebrità". Nel depliant le celebrità sembravano un branco di tipi altamente noiosi, tutti baffi e colletti inamidati. Ci fu qualche entusiasmo per il "Tour del Mistero", ma Kev disse che no, lui aveva già partecipato ad uno e che si erano ritrovati con una tizia stramba che si chiamava George Eliot; una faccia da carro merci, e una gonna tutta fronzoli.

– Volete chiudere la bocca, piccole pesti che non siete altro! – ruggì il professor O'Connor. Abbassò la voce e proseguì: – Faremo la conoscenza di Leonardo da Vinci. Un grand'uomo, non solo pittore, ma anche inventore. Macchinari bellici, un sistema di fognature, ha inventato anche lo schiaccia-aglio. Credo che ciascuno di voi potrà trovare dei punti di interesse.

E fu così che il successivo martedì mattina salimmo sul pullman per Kilkenny per vedere Leonardo. La Casa del Tempo era una specie di grande deposito vicino a Ballyragget. Pagammo il biglietto, poi ci comprammo il gelato e, mentre ce lo mangiavamo, facemmo due passi attorno alla macchina del tempo. Aveva l'aspetto di un disco volante, ma d'altri tempi, con le varie componenti di ferro inchiodate insieme, e una rete di puntelli di supporto. Sembrava funzionale, una piccola officina per la lavorazione del gas; ma piuttosto deludente, se ci si aspettava qualcosa ad alta tecnologia.

La guida ci diede una piccola lezione preliminare di buona educazione. – Ricordatevi che avete il privilegio di essere ospiti nella casa privata di una persona. – Poi, ci infilammo su per le scale, attraverso il videopannello di sicurezza, fino alla porta. Devono prendere tutte le precauzioni del caso.

La maggior parte di noi aveva una macchina fotografica, qualcuno aveva con sé il libro degli autografi, e io e Kevin avevamo preso i nostri album da disegno da far firmare a Leonardo. Ci consideriamo degli artisti e c'è un sacco di competizione fra noi due, anche se devo riconoscere che Kevin mi batte sempre. Prima di quel giorno, che cambiò ogni cosa, avevamo progettato di lavorare a programmi televisivi basati sugli effetti speciali, o forse di realizzare qualche film horror.

L'interno della macchina somigliava ad un anfiteatro circolare. All'ingresso c'erano i bagni e il bar, poi file concentriche di sedili, circa una ventina, che arrivavano fino ad una sorta di palco centrale, su cui era stato collocato un grosso televisore. Ci fecero vedere un video sulla vita di Leonardo, poi la TV fu trascinata via e ci venne detto di allacciare le cinture di sicurezza. Si sentì un ronzio; la macchina cominciò a tremare, e io dovetti chiudere gli occhi per la nausea, quando il palco centrale si mise ad oscillare, scomparendo alla mia vista per riapparire subito dopo.

Appena la vibrazione cessò, aprii gli occhi e vidi una sfera spettrale al centro del palco. Galleggiava nell'aria, e sbuffi di vapore le serpeggiavano attorno. All'interno apparve un tavolo, con le gambe fluttuanti sopra un pavimento di piastrelle rosse. Una sedia si materializzò dietro il tavolo, poi un vortice bianco si consolidò in una sorta di tunica con dentro un uomo. In principio fu come guardare attraverso il fondo di una bottiglia di birra, ma appena la sfera si fu dissolta, le deformazioni si attenuarono e la scena divenne reale; no, non reale, ma super-reale, modellata da colori ricchi e intensi con una patina simile a quella che si forma in centinaia d'anni sopra strati sovrapposti di vernice. Fissavamo tutti il vecchio maestro. Era tutt'altro che il vecchio decrepito raffigurato nel depliant, a dire il vero, e non dimostrava più di quarant'anni, direi. Si teneva in bocca l'estremità della barba e la succhiava, manovrando lo scalpello attorno alla gola di un ratto.

Un ragazzo vicino a me fece un rutto, e l'uomo sollevò lo sguardo, chiaramente infastidito per il disturbo. La mia mamma sarà anche irlandese (e questo spiega perché io porto un nome irlandese), ma mio papà è italiano, e ti posso assicurare che quello che Leonardo disse non era adatto alle orecchie dei bambini. Non eravamo certo a Disneyland! L'odore, innanzitutto. C'era un vaso da notte sotto il tavolo, e un cesto con un contenuto che si contorceva incessantemente: lucertole, sanguisughe e robette simili, per quel che potevo vedere io. Attraverso la luce chiaroscurale, una striscia gialla di sole illuminava un corvo morto; l'uccello era fissato con degli spilli ad una tavoletta da disegno, le ali aperte a ventaglio e nel mezzo la testa penzolante, quasi un sinistro richiamo alla crocifissione. Mi resi conto che alcuni dei ragazzini avrebbero preferito non essere mai entrati.

Ma non certo io. Mentre si formava un codazzo di maniaci dell'autografo, mi feci strada verso il palco.

– Posso andare a fare da interprete? – chiesi al professor O'Connor. – Io so un po' di parole in italiano.

– Va bene, Mick, – mi rispose di malavoglia – ma ricordati, il Signor Vinci è un genio. Un po' di rispetto, per favore.

E' vero, non sopporto il rispetto; penso di essere bravo tanto quanto gli altri, fatta eccezione per Kevin, forse. Mi avviai giù per gli scalini e salii sul palco. Fui avviluppato da un calore puzzolente, denso come il miele.

Leonardo stava appoggiato su un gomito, con la guancia sul palmo della mano destra, mentre con l'altra firmava. Sbadigliò.

– Potrebbe mettere "Per Tracy, con i migliori auguri", per favore? E' per una mia amica. – Tradussi questo per Maureen, e per Craig: – Quali esami occorrono per diventare un artista, e quanto si guadagna?

Fui molto sorpreso di scoprire che il nostro uomo

era pagato dall'organizzazione del "Tour delle Celebrità".

– Non era male al principio, – mi disse – un po' di scolari che venivano per le loro ricerche. Raccoglievano le mie liste della spesa, ad esempio. Ma *mamma mia*, adesso arrivano fino a cento turisti tutti insieme!

Kevin allungò il suo albo da disegno per l'autografo. Conteneva le bozze di "Un massacro totale", la storia a cui stavamo lavorando, e che prevedeva lo scuoiamento del preside. Leonardo diede una scorsa ai fogli, poi li riguardò lentamente, studiando con attenzione ogni singolo disegno. Guardò Kevin, e la noia aveva ormai abbandonato il suo sguardo.

– Bellissimo! – esclamò. – Eccellente! Ma come fanno delle statue a muoversi?

Gli spiegammo, per quel che ne sapevamo, i materiali e l'animazione delle creature artificiali controllate elettronicamente e programmate col computer. A quel punto, la coda di gente, che si era già drasticamente ridotta all'apertura del bar, si dissolse del tutto. Anche il professor O'Connor era andato a farsi una tazza di tè.

Leonardo si chinò verso di noi attraverso il tavolo in atteggiamento confidenziale. – Per sorprendere i miei visitatori, – sussurrò – una volta ho preso una lucertola e ho coperto il suo corpo con mercurio, poi vi ho attaccato due ali e delle piccole corna per farne un drago. E poi, con grandi difficoltà, ho realizzato creature di cera e viscere, che potevano essere gonfiate, e quindi anche volare.

– Volare è proprio difficile, – dissi io, e gli mostrai il mio bidello-vampiro nei disegni per la scena dello sventramento. Si sfregò le mani.

– Un segreto! – disse, alzandosi in piedi. Si portò un dito alle labbra. Poi sollevò l'orlo della tunica e si fece strada attraverso tutto quel disordine verso una tenda di broccato.

– Questa stanza è adibita alla vestizione dei miei modelli – disse, e ci fece entrare. C'era una selva di tuniche di velluto. Ci facemmo largo in mezzo a loro, fino a che giungemmo ad un grosso baule istoriato. Una gallina vi stava sonnecchiando sopra, con il capo sotto l'ala, e Leonardo la scacciò con un pennello. Appena la gallina fu ruzzolata a terra in un gran frullar d'ali, egli sollevò il coperchio del baule.

Dentro c'era un ripiano con accessori vari, che Leonardo prese e appoggiò sul pavimento. – Ha mai provato... – stava per chiedere Kev, ma in quel punto vedemmo il ripiano sottostante. Era suddiviso in scomparti. Ce n'erano circa dieci, segnati da un filo di piombo, ed ogni scomparto mostrava il proprio contenuto; c'erano mani ed orecchie, bulbi oculari, nasi ordinati per dimensione. C'erano polmoni e fegati, che tremolavano come gelatina di lampone, di fianco a cuori e a cervelli. C'era anche un reparto di alluci, e uno di dita.

– Sul ripiano inferiore c'è del ghiaccio – spiegò Leonardo. – La mia trovata per la conservazione dei pezzi. – Tolse altri due ripiani, e aggiunse: – E qui conservo la parte intera, da cui i singoli pezzi sono stati ricavati.

Due, no, almeno tre cadaveri giacevano l'uno sull'altro, mentre altri quattro o cinque se ne stavano pigiati ai lati. Cercai di guardare altrove, ma era come se il mio sguardo zoomasse in primo piano, contro la mia volontà, quei visi, ingrandendoli a tal punto da costituire un unico, immenso paesaggio in cui mi sentivo intrappolato. Osservavo il modo in cui i gialli e aridi altipiani costituiti dalle loro forme discendevano verso il verdeggiare di gole e di burroni; il modo in cui la rigidità della morte aveva contratto le labbra in creste che circondavano i picchi arrotondati dei denti, e gli occhi, che si erano infossati tanto da divenire stagni oscuri e senza riflesso.

Leonardo mi prese la mano. – Il solo modo per capire la natura è sezionarla, tutto il resto non sono che giochetti da bambini.

– Ma non le sarà mica consentito di tenersi in casa dei cadaveri! – esclamai con voce fioca, distogliendo lo sguardo. Sarebbe stato meglio se avessi preso la pillola contro il mal d'auto.

– E' proprio così. Rischio tutto per la ricerca della verità.

Kevin afferrò il bordo del baule. – Posso restare? Lei mi insegnerà?

– Vorresti essere mio apprendista? – gli chiese Leonardo.

– Sì.

– Puliresti lo studio e butteresti via i residui, e tutti gli altri lavori più rivoltanti?

– Sì!

– Ma il nostro turista, qui, non tornerà a casa senza di te.

Kevin si mordicchiò l'unghia del pollice, poi disse: – Mick, ti ricordi Manfred e Dieter?

– Manfred col lungo soprabito – dissi, ricomponendomi. – Vuoi dire il programma di scambio tra studenti... Ma, cosa stai facendo?

Sembrava che si stesse spogliando.

– Mi devi aiutare, Mick. – Si chinò sul baule ed afferrò uno dei cadaveri per il gomito.

– Oh, no. Uno scambio no! – Con circospezione, io toccai l'altro braccio. Non era poi così terribile, in fondo, liscio e freddo come marmo. – Sei impazzito – dissi disgustato.

– Presto. Non abbiamo tempo da perdere!

Lo afferrai da sotto con le mani e cominciammo a sollevarlo. Le gambe si distesero, allungandosi fuori dal bordo del baule. Poi mettemmo a sedere il cadavere, incuneato tra i piedi di un cavalletto da pittore. Kevin gli infilò a forza le braccia dentro le maniche della propria camicia, poi gli infilò la giacca con lo stemma della scuola di Kilkenny. Quando finimmo di abbottonargli la camicia, gli strinse al collo anche la cravatta. La testa inanimata si piegò in avanti sopra la spalla di Kevin, e il suo occhio solitario incontrò il mio, con una vaga espressione di mitezza. Senza rimprovero. Non batté ciglio neppure quando una mosca gli passeggiò sulla cornea lucente.

– E' un'idea orribile – dissi, guardando Kevin che si infilava corsetto e calzamaglia. – E la tua famiglia?

– Ho otto fratelli e sorelle. Per loro sarebbe solo un sollievo benedetto sbarazzarsi di uno di noi. E questa è l'occasione di un'intera vita, non posso lasciarmela sfuggire.

– E a me, ci hai pensato? Ma certo, a te va bene dileguarti e non rivedermi mai più, né il nostro film mai realizzato, e tutti i nostri progetti gettati dalla finestra.

– Calmati, Mick. Cerca di essere realista. Sai benissimo che non arriveremmo mai a fare quel film. Io finirò nella fabbrica di lampadine, e tu a vendere gelati con tuo padre. Ma qui la faccenda è seria, caro mio. Non mollare proprio adesso. Resta con me. Voglio dire, se possiamo restare entrambi con lei, signore.

Leonardo mi passò un grembiule. – Fate in fretta, prima che tornino quei rompiscatole.

Io non ero mai riuscito a tenere testa a Kevin. E poi, che cosa avrei potuto fare senza di lui? Con riluttanza mi cambiai i vestiti e lo aiutai a trasportare i due esemplari dissezionati verso la prima fila. Li sistemammo su due sedili, appoggiandoli l'uno all'altro. Con quella luce fioca e i due berretti con la visiera, non si sarebbe certo detto che erano morti da mesi, - né che fra tutti e due non si potevano mettere assieme abbastanza organi per fare un solo essere umano decente.

Da dietro le tende, sentimmo che i turisti stavano tornando ai loro posti. Leonardo avanzò sul palco per accomiatarsi da loro. Fece un inchino, e il pubblico (a parte uno o due) rispose salutandolo con le mani. La macchina del tempo sussultò, dileguandosi nel futuro.

Noi entrammo nello studio e ci guardammo attorno. C'erano pannelli di legno e tele dipinte appese al muro, tavoli con vasetti di colore: primula, carminio e blu cobalto. All'angolo, un suonatore di liuto suonava un motivetto che andava a mescolarsi con le grida che provenivano dalla strada attraverso la finestra. L'aria odorava di acqua ragia, di arrosto di maiale, di vaso da notte e di carne putrescente. Era un miscuglio che dava alla testa.

Ma non avevo avuto la possibilità di ripensare bene

a tutta la faccenda. Suppongo di essermi augurato di rimanere lì per una settimana o due, e allora Kevin si sarebbe convinto a tornare a casa con me, con un prossimo viaggio nel tempo. Il problema è che non ci sono più stati altri viaggi dopo il nostro, e questo è stato ormai più di un anno fa. Devono aver creduto che i due cadaveri fossimo veramente noi e, di conseguenza, hanno vietato i viaggi nel tempo perché troppo pericolosi.

Pazienza. Nonostante tutto, si è rivelato l'anno migliore della mia vita. Non credo di voler tornare nel futuro, ormai. All'inizio non lo potevo sopportare, appartengo a quella categoria di persone che odia le vacanze, tanto per cominciare, e il cibo e le condizioni igieniche mi atterrivano. Sentivo la mancanza dei miei genitori, e rinfacciavo a Kevin ogni cosa. La gelosia è stata un fattore non indifferente, devo riconoscerlo. Non ero in grado, ad esempio, di padroneggiare l'arte dell'affresco come Kevin. L'intonaco continuava a scivolarmi via, e una volta che avevamo una commissione in un monastero, preparai la parete sbagliata, così che l'affresco alla fine ebbe una porta nel mezzo. Ma Kevin non sbagliava mai nulla. Il padrone era solito scompigliargli i capelli o dargli un buffetto sulle guance: "Tu dipingi come un angelo, piccolo Kevin" e gli consentiva di dipingere i fondali, mentre io stavo ancora a sottrarre cadaveri dal cimitero.

Poi venne il giorno in cui costruimmo le ali. Avevano un'apertura di tre braccia ed erano fatte con viscere di capra tese su rami di salice. Kevin aveva escogitato un modo per far muovere le giunture utilizzando ossa d'oca.

– Posso provarle, padrone? – implorai. – Dopo tutto, sono stato io a rubare la capra. E l'oca.

– C'è chi deve limitarsi a servire con umiltà, – mi ammonì Leonardo – mentre altri si innalzano verso la gloria.

Fu così che il mattino seguente dovetti svegliarmi presto per mettere in bisaccia pane e vino, e legare le ali per il trasporto. Diedi la colazione a Kevin e al padrone, e ci avviammo verso il Monte Ciceri. Era ancora buio quando lasciammo Firenze e ci incamminammo attraverso gli uliveti brumosi. Più tardi, attraversato lo strato di nubi, ci ritrovammo nell'aria limpida e fresca.

Ci arrampicavamo, mentre le zolle di terra arida si staccavano dalle rocce man mano che salivamo più in lato. A mezzogiorno, ci sedemmo a mangiare il nostro pranzo. Poi, Kevin si alzò e stese all'infuori le braccia. Noi gli infilammo i finimenti sopra la testa e assicurammo le cinghie; io stesso le controllai, dai polsi alle spalle.

Sollevò le braccia, battendo le ali che frusciarono con potenza, e tracciò degli otto nell'aria. I rametti di salice scricchiolavano quando le giunture si piegavano. Kevin si voltò verso il sole. I capelli rossi gli ondeggiavano attorno al viso, le lentiggini rilucevano chiare come polvere d'oro; e quando le ali si misero a battere sinuose, alla fine sì, che aveva davvero l'aspetto di un angelo. Ci sorrise e iniziò a correre. Lo vedemmo sulla linea dell'orizzonte, e un attimo dopo era scomparso.

Ci trascinammo sul ventre, fino a sbirciare in quel vuoto vertiginoso, ma non riuscimmo a vederlo da nes-

suna parte. Centinaia di metri sotto di noi, galleggiavano le nuvole.

– E' volato in cielo – disse con tristezza Leonardo. E così ce ne tornammo a casa.

Mi manca, Kevin. E tuttavia, è positivo per me essere fuori dalla sua ombra. Sto imparando ogni giorno qualcosa di nuovo - prospettiva, anatomia, vetrate, incisione - e anche se non sarò mai bravo come Leonardo, credo che, se sarò costante, un giorno arriverò ad uguagliare l'arte del vecchio amico precipitato. Lui mi dice, arruffandomi i capelli: – Michele, dipingi come un angelo. – Poi mi dà un pizzicotto sulle guance. – Il mio piccolo Michele degli angeli.

E devi riconoscere che, come nome per un grande artista, Michelangelo Buonarroti suona di gran lunga meglio di Kevinangelo Murphy.

L'ULTIMA PAROLA

Credo che se la cavasse perché riusciva sempre a far ridere gli altri. – Dov'è Biancaneve con gli altri sei? – diceva, oppure: – Chi ti ha segato le gambe?

Non che simili battute siano poi così divertenti, specie se ripetute venti volte al giorno. La cosa assurda è che Max era anche più basso di me. Aveva una pettinatura molto alta, che sembrava un canneto di palude, e un modo bizzarro di camminare quasi in punta di piedi che lo rendeva temporaneamente più alto di quel che era. Per me, essere bassa non è un problema. Il mio problema era Max.

Il giorno in cui tutto avvenne, aveva sghignazzato tutto il tempo con gli altri ragazzi in fondo all'aula. Io non gli facevo caso, finché disse a voce alta: – Sono sicuro di avere visto un topo. Un cosino piccolino che squittiva. Sterminiamolo.

Qualcosa scivolò attraverso il pavimento e finì dentro al mio zainetto; ci fu un lampo, un rumore assordante ed io scivolai all'indietro, andando a sbattere la testa contro il banco di dietro, mentre la sedia cascava a terra. Rimettendomi a sedere, udii l'insensato motivetto elettronico che usciva dal nuovo portachiavi di Max, che gracchiava come il pupazzo di un ventriloquo: – Tu sei un *bip*, tu, pezzo di *bip*, che sai solo *bip*are ! – A volte, invece, emetteva semplicemente un *'bip'*.

– Ti sei fatta male? – Livvy tirò su la mia sedia e gridò a Max: – Ma sei proprio un fuori di testa al cubo! Non hai niente di meglio da fare che tirare petardi? Avresti potuto accecare Sara!

– Va' fa' un *bip* – fece il portachiavi. Max lo fa sempre suonare quando vuole attirare l'attenzione; è una specie di estensione della sua psiche, quella scatoletta nera, la sua amica del cuore. Io non dissi nulla. Ho imparato a essere superiore.

Ci avviammo verso la mensa per il pranzo, pensando ad organizzare la "festa dei fantocci" di Livvy, e ormai mi ero scordata di Max, quando lo rividi in fila. Livvy mi diede una gomitata e indicò il portachiavi parlante. Penzolava dalla sua tasca di dietro. Diedi un'occhiata su e giù lungo la fila - non c'era nessuno dei maschi, così battei sulla spalla della ragazzina davanti a me e con la testa feci cenno verso Max. Il muto messaggio serpeggiò lungo la fila, e tutte allungammo il collo per vedere con quale delicatezza la bambina dietro di lui gli avrebbe sottratto le chiavi. Sembrava di essere in una scena di *Oliver Twist* (anche se nella nostra mensa nessun bambino affamato, una volta assaggiato il cibo, si sognerebbe mai di dire: "Per favore, signore, potrei averne ancora?"). Di mano in mano, le chiavi risalirono la fila fino a me.

Max si voltò con espressione interrogativa - si percepiva un'aria di allegra tensione - e si tastò le tasche. Io fissavo il pavimento con aria innocente, quindi non vidi chi si beccò il pugno.

Dopo scuola, mi precipitai a casa e cominciai a preparare il fantoccio per la festa; quello sarebbe stato il mio contributo, dato che non avevo soldi per i fuochi d'artificio. Mamma e papà erano ancora al lavoro, quindi riuscii a procurarmi dell'ottimo materiale. C'era una vestaglia del papà. Lui non porta cappelli, ma scovai quello con sopra i papaveri che la mamma si mette ai matrimoni - l'effetto era davvero esilarante, insieme a una maschera di gomma da gnomo. Poi imbottii una tuta da ginnastica e la ficcai dentro al vecchio passeggino da bambini. Stavo giusto per fissargli i guanti all'estremità delle maniche, quando suonò il campanello.

– Vieni a vederlo, Livvy – dissi, aprendo la porta. – Il fantoccio più buffo che tu abbia...

Era Max.

– Le hai tu, vero? – ringhiò. – Le mie chiavi. Il mio portachiavi nuovo di zecca.

Cercai di richiudere la porta, ma lui ci si appoggiò contro di peso. Quei suoi occhi da girino erano due centimetri sotto i miei, e le mie narici si riempirono dell'odore nauseante del suo gel per capelli.

– Piantala di spingere! – dissi. – Non so di cosa stai parlando.

– Non credere di farmi fesso, so benissimo che le hai tu. E' una serata fredda e non posso neanche entrare in casa. Dammele!

I piedi cominciarono a scivolarmi, mentre la porta cedeva verso l'interno. Improvvisamente mollai la presa e mi scapicollai su per le scale. Udii Max che capitombolava nell'ingresso, mentre io mi dileguavo di sopra, due gradini per volta, afferrandomi al corrimano. Guardando in giù, scorsi il suo taglio di capelli stile scotennato che scavalcava il passeggino ai piedi delle scale. Io mi precipitai nel bagno e mi chiusi dentro, tirando delicatamente il catenaccio. Si udì uno scalpiccio precipitoso sulla stuoia delle scale, e il rumore di una mano che strisciava lungo il corrimano. I passi si avvicinarono, per poi allontanarsi quando Max si avviò con passo circospetto verso le camere da letto. Sentii gli sportelli degli armadi che si aprivano. Avrei dovuto ridargli le chiavi immediatamente, pensai. Era probabile che il mio istinto di scappare fosse stato mal interpretato.

Presi le chiavi dalla tasca ed esaminai la nera scatoletta ovale appesa alla catena. C'era un bottone quadrato nel centro, con una scritta in corsivo: "L'Ultima Parola". Il mio dito fu irresistibilmente attratto dal bottoncino. All'istante, una voce acuta e perforante sbottò in un *"sacco di merda!"* I passi fuori dalla porta si arrestarono; un profilo annebbiato si stagliò di là dal vetro smerigliato della porta.

La maniglia si abbassò ripetutamente, e io mi rattrappii nell'angolo tra il lavandino e la vasca. Si udì un tonfo sordo: aveva cominciato a dar calci contro la porta. Una vite saltò via dal catenaccio. Un altro colpo, più violento questa volta, dato con tutto il peso del corpo. Il catenaccio tenne, ma un pannello di vetro andò in frantumi. Un braccio di Max si infilò attraverso l'apertura frastagliata nel vetro rotto, e si mise a tastare alla cieca in cerca del catenaccio. Lo fece scorrere col pollice, imbrattando di rosso il legno bianco della porta. Questa si aprì lentamente.

– Va bene – dissi, tirando fuori le chiavi. – Se non sai neanche stare agli scherzi...

– Uno scherzo, eh? – disse, infilandosele in tasca. – Pensi che mi faccia piacere essere preso in giro da un branco di ragazzine sceme in mensa?

Mi afferrò per i capelli e mi strattonò indietro la testa. Fui sorpresa di scoprire come si possa essere terrorizzati ed arrabbiati neri allo stesso tempo. Gli mollai un calcio, ed egli lasciò la presa. Corsi fuori sul pianerottolo, ma mi raggiunse proprio in cima alle scale. Attaccandomi con un braccio alla ringhiera, gli diedi un potentissimo spintone con il braccio rimasto libero.

Barcollò per un attimo, poi cadde a capofitto con le braccia tese giù per le scale. All'inizio capitombolò, la bocca ripugnante come un buco nel volto pallido, le mani sbattute ripetutamente contro le colonnine della ringhiera; poi, l'intero corpo rimbalzò contro la parete, sdrucciolando sugli ultimi scalini per abbattersi sul pavimento dell'ingresso. Quel tonfo della guancia sulle piastrelle produsse l'impressione finale di un ceffone in pieno viso, ma io restai abbarbicata alla ringhiera in attesa. Ho visto fin troppi film in cui uno si aspetta che lo psicopatico sia morto, e poi quello salta su di nuovo.

Ma Max non saltò su. Rimase completamente immobile. Mi sedetti in cima alla scala in ascolto della casa silenziosa. La porta di cucina si schiuse lentamente, e la nostra gatta si intrufolò nell'ingresso. Con la testa bassa, si accostò a Max. Gli girò intorno curiosa, accucciandosi per annusarlo, poi cominciò a leccargli il sangue che usciva dalla bocca. Faceva le fusa.

– Finiscila! – le urlai. – Vattene via. – Mi feci forza e corsi giù per le scale per ricacciarla in cucina. Poi mi girai ad osservare Max. Era pallidissimo. Immobile.

Che cosa fanno ai bambini assassini? Non li impiccano più, credo. Forse, neanche la prigione. Forse ci mandano solo via per sempre, in uno di quei centri di rieducazione per giovani criminali. Era difficile riuscire a pensare, con il panico totale che mi rintronava le orecchie.

Se solo riuscissi a trascinare Max fuori dalla casa, tutto tornerebbe a posto. Fuori dalla proprietà, lontano dalla zona, lontano, lontano... Ma come farlo senza essere vista? E come potrei trasportarlo? Come farei anche solo per oltrepassare il passeggino che ostruisce l'ingresso?

Mi venne una ridarella isterica. Poi, la mia mente si snebbiò. La cosa più importante era coprire la faccia di Max, quindi gli infilai la maschera da gnomo. A dire il vero, non ho mai visto niente di più simile ad una maschera della faccia di Max, ma quegli occhi, come in ogni buon ritratto, sembravano seguirmi per tutta la stanza.

Gli feci indossare a forza la vestaglia di mio padre e lo compressi dentro il passeggino. Operazione niente affatto facile, dato che continuava a scivolarmi via. Quando i piedi furono sul poggiapiedi, le ginocchia ripiegate stavano all'altezza del mento. Feci in modo che il mento restasse in equilibrio sui ginocchi, men-

tre gli fasciavo la mia sciarpa intorno al collo e la legavo ai manici. In questo modo, almeno, la testa stava dritta, anche se un po' vacillante. Gli misi il berretto in testa. Fu proprio mentre gli stavo infilando i guanti che suonò il campanello.

Gridai. Quello era proprio il punto in cui il campanello aveva suonato quando stavo costruendo il primo fantoccio. Rimasi immobile, e aspettai che chiunque fosse là fuori se ne andasse via.

– Sbrigati, Sara! – disse la voce di Livvy. – Sappiamo che sei lì. Ti abbiamo sentito.

Lentamente aprii la porta. Metà della classe stava aspettando lì fuori.

– Non credo di poter venire. Ho un pochino mal di testa. Forse vi raggiungo dopo.

– Che peccato. Ci divertiremo un sacco. Vogliamo fare un giro al centro commerciale per raccogliere un po' più di soldi per i fuochi d'artificio.

– Oh, grande! Be', ciao, allora. – Stavo già chiudendo la porta.

– Aspetta un attimo. – Livvy si fece avanti. – Abbiamo bisogno del "ragazzo", no? – Fece un passo indietro per ammirarlo. – Ehi! Che schianto! E' davvero grottesco. Sai chi mi fa ricordare? Max. Lo chiameremo Max.

Afferrò i manici e lo sospinse attraverso la soglia. I ragazzi lì fuori lo accolsero con grida e fischi.

– Senti – dissi disperata. – Non è ancora finito. Cosa ne dici se te lo porto io fra una mezz'oretta?

– Ma va', è assurdo. E' già assolutamente magnifico così com'è. – E lo spinse via lungo il vialetto. Non potevo fare altro che correrle dietro.

– A dire il vero, mi sento molto meglio – dissi, e la raggiunsi, afferrando subito i manici del passeggino. – Ecco il mio bel "ragazzo" – dissi. – Lo spingo io.

– *Non sarà una star del cinema*, – canterellava Livvy, mentre camminavamo lungo la strada – *ma se quel che conta è la felicità, eccola qua*. – E gli altri in coro: – *Nessuno, no, nessuno al mondo mi strapperà dal ragazzo mio*.

Sembrava che trovassero la faccenda assai divertente; erano nello stato d'animo di chi va a divertirsi. Per quanto mi riguarda, io mi sentivo come Macbeth durante la festa.

E' probabile che tu non abbia mai combinato nulla di veramente cattivo; se è così, allora non puoi neanche immaginarti il tremendo orrore che ne consegue, il rimorso, il desiderio di potere tornare indietro nel tempo; con la consapevolezza che, se nelle ultime sei ore la più insignificante delle tue azioni fosse stata anche leggerissimamente diversa, allora questa catastrofica vergogna che infanga la tua vita non si sarebbe mai verificata.

Ci infilammo attraverso il parcheggio verso il centro commerciale. C'erano già le decorazioni natalizie, con un festone di renne all'entrata. Trascinai Max su per gli scalini, facendo danzare sul cappello i papaveri, i cui petali riflettevano la luce dorata. Mentre le porte automatiche si aprivano davanti a noi, pensavo: "E' stata autodifesa; che altro avrei potuto fare?" Una vocina dentro di me rispose: "Non era necessario che morisse. E deve essere colpa tua, altrimenti non ti sentiresti così male."

Livvy bisbigliò: – Attenzione. C'è un poliziotto vicino alla fontana.

– Oddio – gemetti. – Allora lo sai già. Come l'hai scoperto?

– Perché lo sto vedendo. Cosa ti succede stasera, Sara? Non ci caccerà mica fuori, se andiamo dietro l'angolo a scroccare qualcosa.

Mi sento sempre in colpa quando vedo un poliziotto. Questa volta, guardai di fronte a me, spingendo rapidamente il passeggino mentre gli passavamo davanti. La vocina dentro di me continuava a brontolare: "E inoltre, chi è innocente non prova ad occultare il cadavere." Max, per l'aumentata velocità, oscillò e una gamba scivolò giù dal poggiapiedi, e il piede restò incastrato sotto il passeggino. Mi chinai e lo rimisi a posto.

– E' davvero un bel "ragazzo" quel fantoccione che hai! – disse rivolto a me il poliziotto. – Il migliore che ho visto in tutta la serata. Spero che tu conosca il regolamento, comunque. Niente elemosina in luogo pubblico.

– Sì, certo, signore – dissi con un fil di voce. Egli si avvicinò a noi, con gli stivali che rimbombavano sul marmo. Ci tirammo da parte mentre si chinava ad osservare Max.

– Sembra vero. Avete un ragazzino lì dentro? – Con un dito pungolò il corpo, e un braccio cascò penzoloni su un lato del passeggino.

– Forse no – disse, facendosi una risata. Il braccio piegato formava un angolo davvero strano. Lo rimisi a posto e proseguii impettita.

– Hai un aspetto orribile – disse Livvy, raggiungendomi. – Preferisci tornare a casa?

– Non ti preoccupare per me – risposi e parcheggiai il passeggino di fronte alla boutique Tulley, inserendo i freni. – Qualche spicciolo per il fantoccio – mi misi a dire a gran voce.

Non saprei dire per quale ragione, ma i turisti tedeschi sono decisamente i più generosi. Gli inglesi tendono a dire: "No, grazie," come se gli stessi vendendo qualcosa, oppure: "Certo, se fosse una nobile causa... ma credo che non li spendereste altro che per comprare fuochi d'artificio". Fui quindi assai stupita di quanto riuscimmo a raggranellare. Forse c'era qualcosa sul mio viso. – Povera piccina! – mormorò una donna, allungandoci cinque sterline. Io ero lontanissima, presa nei ricordi della precedente festa dei fantocci, degli scorsi Halloween, dei Natali passati. Ero una bambina, allora.

Avevamo raccolto circa venti sterline, quando scorgemmo il poliziotto scendere per la scala mobile; allora, Livvy si affrettò a comprare un po' di fuochi d'artificio, poi ce ne andammo.

– Senti – dissi. – Questo è il cappello da matrimoni di mia madre. Sarei veramente nella merda se gli dovesse succedere qualcosa. Idem per la vestaglia. Quindi, preferisco lasciare il fantoccio in garage. Cioè, mi pare che abbiamo abbastanza fuochi, no?

– Sara, non si può fare un falò se non c'è il fantoccio da bruciare, e Max è in assoluto il migliore. Accidenti, digli che te li ho fregati io. E poi, non mi sembra proprio che qualcuno possa farci una passione per un cappello simile.

Livvy è una temeraria, non si preoccupa delle conseguenze. Mentre io sarei la buonina, la giudiziosa, quella che non fa mai niente di sbagliato. La più debole. E così, come sempre, gliela diedi vinta.

– Giusto in tempo! – ci accolse sua madre, con la bocca piena di chiodi. Stava in piedi sopra un cestello per bottiglie, intenta ad attaccare decorazioni ad un albero. Ogni cosa faceva di tutto per sembrare normale, mentre in realtà era tutto un incubo incontrollabile. Non ci sarebbe stato nessun risveglio; dovevo guardarmelo tutto, fino in fondo.

– Salsicce? – gridò qualcuno. Il giardino era illuminato dalle mobili macchie di luce delle torce. Dietro la casa, un'infuocata geometria di spirali e di archi macchiò il cielo nero. Addentai un hot dog e sentii la pelle che mi scoppiava sotto i denti, riempiendomi la bocca di carne. Vidi che sollevavano Max dal passeggino e lo sistemavano sulla cima della catasta. La testa gli ciondolava sul petto, rovesciata di lato. Il papà di Livvy accese un cerino e si chinò sui giornali appallottolati in mezzo alle assi di legno. Il fuoco crepitò attraverso gli interstizi, le fiamme si levarono intrecciandosi verso l'alto come corde di seta, ed avvilupparono l'impalcatura di legno. Mi spazzai la mostarda dalle labbra.

Il "fantoccio" stava abbandonato in cima alla catasta. La cintura della vestaglia penzolava sulle assi, e dove veniva lambita dalle fiamme, la vidi accendersi; vidi il fuoco, rosso e scoppiettante, che si avviluppava attorno a quanto c'era di infiammabile. Non volevo guardargli la faccia. Tra le pieghe della maschera di gomma, le ombre si dimenavano, fino a raggiungere il naso affilato. Più in basso, le fiamme sprigionatesi da una vecchia gabbia per conigli cominciarono a lambirgli i piedi. Poi la vestaglia fece una fiammata, e ci fu un piccolo grido tra gli astanti. Io tremavo, ma non distolsi lo sguardo. Ardeva come il sole. I legni del falò crepitavano e si sgretolavano, sollevando una nuvola di scintille. Il braccio sinistro del "fantoccio" scivolò lungo il petto, mentre l'altro si contrasse sollevandosi debolmente, per poi ricadere. Quindi si sollevò di nuovo, le dita si aprirono ed afferrarono la maschera.

Qualcuno gettò un grido. Il guanto ora si agitava, le dita si dimenavano, strattonando la maschera di gomma. Gli astanti corsero vicino al rogo, ma il "fantoccio" era troppo in alto, troppo avviluppato dalle fiamme.

– Prendete il tubo di gomma – urlò il padre di Livvy.

Gli rispose un suono teso, un sottile, acutissimo strillo proveniente da qualche parte tra le fiamme, che sciorinò una sfilza di frasi ripetute come una cantilena, o una preghiera. Poi, mentre il fuoco divorava tutto, fummo raggiunti da una zaffata di plastica bruciata, e una voce distorta dal tono sempre più acuto, che diceva: – *Bip*... e ancora *bip*... fatti i *bip* tuoi... pezzo... di... *bip*... – Poi, cessò del tutto.

INDICE